AP Test Prep

Mastering the
Advanced Placement
Spanish
Language Exam

Jay Duhl
Felipe Mercado

EMC Publishing

ST. PAUL · LOS ANGELES

D1293683

Editorial Director: Alejandro Vargas
Developmental Editor: Charisse Litteken
Production Editor: Amy McGuire
Consultants: Luis Millán-Mateos, Eliana Silva Premoli, and Gilberto Vázquez Valle

Text & Cover Designer: Jaana Bykonich
Production Specialist: Jaana Bykonich
Permissions Researcher: Jenny Kelzenberg
Proofreader: Diego Augusto Garcia Sierra, B-books, Ltd.

Care has been taken to verify the accuracy of information presented in this book. However, the authors, editors, and publisher cannot accept responsibility for Web, e-mail, newsgroup, or chat room subject matter or content, or for consequences from application of the information in this book, and make no warranty, expressed or implied, with respect to its content.

*AP® is a registered trademark of the College Board, which was not involved in the production of, and does not endorse, this product.

Trademarks: Some of the product names and company names included in this book have been used for identification purposes only and may be trademarks or registered trade names of their respective manufacturers and sellers. The authors, editors, and publisher disclaim any affiliation, association, or connection with, or sponsorship or endorsement by, such owners.

We have made every effort to trace the ownership of all copyrighted material and to secure permission from copyright holders. In the event of any question arising as to the use of any material, we will be pleased to make the necessary corrections in future printings. Thanks are due to the credited authors, publishers, and agents for permission to use the materials indicated.

ISBN 978-0-82193-494-4
© 2008 by EMC Publishing, LLC
875 Montreal Way
St. Paul, MN 55102
E-mail: educate@emcp.com
Web site: www.emcp.com

Printed in the United States of America

16 15 14 13 12 11   6 7 8 9 10

Table of Contents

From the Authors

The Advanced Placement Spanish Language Examination is designed to reflect application of higher order thinking skills commensurate with the fifth or sixth semester college level that the AP Exam credit represents. It also follows the 2007 guidelines for the new AP Exam. The exam requires students to demonstrate competence in Spanish via analysis, synthesis and evaluation, in the areas of speaking, reading, writing and listening. Some segments involve integrated skills, in which the student is asked to combine one or more of these areas in order to complete a task, thereby demonstrating proficiency in interpretive, interpersonal and presentational modes. While the focus is clearly on the ability to combine communicative skills in order to produce acceptable output, students are expected to show a mastery of vocabulary and grammatical accuracy as well. In all sections, authentic materials are used as a means to elicit speech and writing samples as well as comprehension of reading and listening.

This book is designed to serve as a tool to lead the student to mastery of all elements of the exam. As each series of exercises is presented in increasing order of difficulty, the teacher and the student are invited to use the rubrics and strategies offered within the section in order to evaluate the students' work and increase their level of proficiency. Each section is introduced with an explanation of the rationale behind the corresponding rubric, as well as strategies for enabling students to attain higher scores in that section. All of the exercises contain authentic reading and listening samples, so that the student will be fully accustomed to the conditions of the exam well before it is administered.

As the standard for grammatical accuracy remains strict in the revised exam, we have included various appendices elaborating in detail the rule of the written accent mark, spelling conventions and complete verb conjugation charts. These sections may be used as reference by the student, or may be incorporated into lesson activities by the teacher.

The following profile of the AP Spanish Language course is excerpted from *The Advanced Placement Course Description in Spanish Language*, published by the College Board: "Students who enroll should already have a basic knowledge of the language and culture of Spanish-speaking peoples and should have attained a reasonable proficiency in listening comprehension, speaking, reading and writing. Although these qualifications may be attained in a variety of ways, it is assumed that most students will be in the final stages of their secondary school training and will have had substantial course work in the language." Additionally, we strongly recommend that the course be taught in Spanish at all times, in order to have students sufficiently proficient for the linguistic tasks required of them in the exam.

While this book is specifically tailored for students in the Spanish Language Advanced Placement Course and their preparation for the exam, it can be used in any upper level Spanish course. Each exercise can be used to reinforce prior knowledge as well as to broaden the student's wealth of resources in the language. We encourage teachers to use all of the sections all year, and to take advantage of the accompanying audio component for listening and speaking exercises.

About the Authors

Felipe Mercado earned his bachelor's degree from Adelphi University (Garden City, New York) and his master's degree from S.U.N.Y. at Stony Brook (New York) and his certification in school administration comes from C.W. Post College (Greenvale, New York).

Mr. Mercado has taught Spanish at the middle school, high school and college levels. He taught AP Spanish Language and upper level courses at Jericho High School for more than 30 years. He was an item writer for the New York State Spanish Regents exam and a member of the test development committee. He co-authored *veinticinco pruebas* (Gessler Publishing Company) and wrote the script for a series of Italian tapes (Gessler Publishig Company). He has also presented workshops at the local, state and national level on various topics.

After serving as an officer of the Long Island, New York chapter of the American Association of Teachers of Spanish and Portuguese, Felipe was elected National President in 2001.

Since 1992, Felipe has been an AP Spanish Language reader and currently serves as a table leader.

Jay Duhl is a graduate of Rutgers University who holds an M.A. in Spanish from Middlebury College. He is a licensed supervisor in the state of New Jersey. A teacher of Spanish for 15 years, Jay currently teaches AP Spanish Language as well as other levels at Parsippany High School in New Jersey.

Jay is the president of the New Jersey chapter of the American Association of Teachers of Spanish and Portuguese (AATSP), and is a member of the American Council of Teachers of Foreign Language (ACTFL). He is a certified Oral Proficiency Interview (OPI) tester in both Spanish and English, and a grader for the STAMP proficiency measurement test. He has presented numerous workshops on AP Spanish language courses and other topics, served as a participant in the pilot program for National Board Certification in Languages Other Than English, and is involved in various other initiatives in the state of New Jersey.

Jay has been a reader for the AP Spanish Language Exam since 2002 and currently serves as table leader (trainer).

AP Spanish Language
Exam Format*

Section	Item Type	Number of Questions and Percent Weight of Final Score		Time
1	**Multiple Choice**	**70–75 questions**	**50%**	**85–90 minutes**
Listening	**Unit 1 Short Dialogues**	30–35 questions	20%	30–35 minutes
	Unit 2 Short Narratives			
	Unit 3 Long Dialogues and Narratives			
Reading	**Unit 4 Reading Comprhension**	35–40 questions	30%	50–60 minutes
2	**Free Response**		**50%**	**Approx. 100 minutes**
Writing	**Unit 5 Paragraph Completion with Root Words**	10 questions (2.5%) 7 minutes	30%	Approx. 80 minutes
	Unit 6 Paragraph Completion without Root Words	10 questions (2.5%) 8 minutes		
	Unit 7 Informal Writing	1 prompt (5%) 10 minutes		
	Unit 8 Formal Writing (Integrated Skills)	1 prompt (20%) Approx. 55 minutes		
Speaking	**Unit 9 Informal Speaking (Simulated Conversation)**	5–6 response prompts (10%) 20 seconds to respond to each	20%	Approx. 20 minutes
	Unit 10 Formal Oral Presentation (Integrated Skills)	1 prompt (10%) 2 minutes to respond		

*Information for this chart and the instructions for the practice exercises that appear in this book have been taken from the AP Central website. Advanced Placement Program, and AP are registered trademarks of the College Entrance Examination Board, which was not involved in the production of, and does not endorse, this product.

Section 1
Multiple Choice

Listening

Unit 1 Short Dialogues

Introduction/Explanation:

In this section, you will hear a short dialogue between two people on a particular subject. Listen carefully in order to understand the main ideas, but remember that you don't have to understand every word in order to understand the conversation. After the dialogue, you will hear a series of questions based on what you have heard. The questions will not be printed in your test booklet.

Test-taking Strategies for the Student:

1. Look immediately at the printed answers in the test booklet to see if you can get an idea of what the topic is going to be.
2. Concentrate as the speaker tells you where the dialogue takes place (e.g. *En la casa*).
3. Pay attention to what each character is saying even though you may not understand every word being spoken.
4. Listen to every question very carefully since they are not printed in your test booklet.
5. Try to select the correct answer or at least narrow down your choices.
6. Avoid guessing since you will be penalized for incorrect answers.

DIRECTIONS: You will now listen to a selection. After each one, you will be asked some questions about what you have just heard. Select the best answer to each question from among the four choices printed in your test booklet and fill in the corresponding oval on the answer sheet.

INSTRUCCIONES: Ahora vas a escuchar una selección. Después de cada una se te harán varias preguntas sobre lo que acabas de escuchar. Para cada pregunta elige la mejor respuesta de las cuatro opciones escritas en tu libreta de examen y rellena el óvalo correspondiente en la hoja de respuestas.

Exercise 1

1. (A) El aniversario de bodas de sus padres
   (B) El cumpleaños de su madre
   (C) El cumpleaños de su padre
   (D) La jubilación de su padre

2. (A) Comprar el regalo
   (B) Devolver un regalo
   (C) Llevar a su padre al centro comercial
   (D) Buscar a los invitados

3. (A) Para comprar ropa
   (B) Para cenar
   (C) Para ir al cine
   (D) Para pasar un rato

4. (A) Porque es el cumpleaños de él
   (B) Porque él no sabía nada de la fiesta
   (C) Porque él no sabía que tenía que comprar el regalo
   (D) Porque él no sabía que su padre iba a cumplir 50 años

Exercise 2

1. (A) Su vuelo no va a salir a la hora prevista.
   (B) Ha perdido su vuelo.
   (C) No tiene reserva ni billete.
   (D) Se le ha perdido el equipaje.

2. (A) Fría pero profesional
   (B) Indiferente
   (C) Agradable y placentera
   (D) Desagradable

3. (A) Si pagaba una multa
   (B) Si viajaba a otra ciudad
   (C) Si no había entregado su equipaje
   (D) Si dejaba la maleta que llevaba

4. (A) Pierde su reunión en Madrid.
   (B) Tiene que esperar las tres horas.
   (C) Cambia de línea aérea.
   (D) Logra ir a Madrid en otro vuelo.

Exercise 3

1. (A) Queda muy lejos de su casa.
   (B) Las playas cercanas están sucias.
   (C) No sabe nadar.
   (D) La última vez que fue, se quemó.

2. (A) Para escaparse del calor
   (B) Para buscar osos y serpientes
   (C) Para montar a caballo
   (D) Para cazar animales

3. (A) De quemarse
   (B) De los animales salvajes
   (C) De la pesca
   (D) De subir las montañas

4. (A) No lo resuelven por un desacuerdo sobre las fechas.
   (B) Deciden no ir de vacaciones este año.
   (C) Deciden dividir su tiempo entre las montañas y la playa.
   (D) Deciden ir a una ciudad.

Exercise 4

1. (A) Vio una ventana rota.
   (B) La puerta estaba abierta.
   (C) Pudo abrir la puerta con poco esfuerzo.
   (D) Oyó al ladrón desde fuera.

2. (A) Quiere buscar evidencia.
   (B) No sabe si es la casa de ella.
   (C) Tiene miedo de que rompa algo.
   (D) Quiere ver cómo está el cuarto.

3. (A) La televisión
   (B) Dinero
   (C) Tenedores y cuchillos
   (D) Un abrigo de piel

4. (A) La casa de un vecino
   (B) Su propia casa
   (C) La oficina donde trabaja
   (D) Un teléfono público

Exercise 5

1. (A) Su carro no anda bien.
   (B) Tuvo un accidente.
   (C) Necesita inspeccionar su carro.
   (D) Quiere cambiar su carro.

2. (A) Hace un año.
   (B) Hace poco tiempo.
   (C) Hace tres meses.
   (D) Hace cinco años.

3. (A) Tiene que salir del taller.
   (B) No tiene la pieza necesaria.
   (C) Tiene mucho trabajo.
   (D) Roberto le debe dinero.

4. (A) Usar el transporte público
   (B) Llamar a un compañero
   (C) Usar el coche de su madre
   (D) Utilizar la bicicleta de su hijo

Exercise 6

1. (A) El precio que ponga en el concesionario.
   (B) Las opciones que traiga de la fábrica.
   (C) Lo que diga el gobierno.
   (D) El precio de la gasolina.

2. (A) Es económico.
   (B) Es espacioso.
   (C) Es lujoso.
   (D) Es rápido.

3. (A) Subirá el precio.
   (B) Pagará más impuestos.
   (C) Habrá una huelga.
   (D) Tendrá que esperar.

4. (A) Comprar un coche.
   (B) Pensarlo bien.
   (C) Informarse más.
   (D) Quedarse con su coche.

Exercise 7

1. (A) No se comporta bien.
   (B) Habla mucho en las clases.
   (C) Pelea con sus compañeros.
   (D) No está saliendo bien en las clases.

2. (A) No hablan inglés.
   (B) Son muy estrictos.
   (C) Trabajan todo el día.
   (D) No están en la casa.

3. (A) Va a entregar su trabajo.
   (B) Va a perder una beca.
   (C) Va a asistir a una universidad.
   (D) Va a estar muy agradecido.

4. (A) Siempre están en lo cierto.
   (B) No enseñan muy bien.
   (C) Ponen muchas tareas.
   (D) Trabajan muy duro.

Exercise 8

1. (A) Para hacerle unas preguntas
   (B) Para ofrecerle una ganga
   (C) Para invitarla a cenar
   (D) Para darle un empleo

2. (A) Asistir a una recepción
   (B) Ir a una fiesta de cumpleaños
   (C) Visitar las montañas cubiertas de nieve
   (D) Competir contra otras sucursales

3. (A) No fue nada simpático.
   (B) No aceptó su tarjeta de crédito.
   (C) No le dio un descuento.
   (D) No le mostró el gimnasio.

4. (A) Una cena para dos
   (B) Un viaje a las montañas
   (C) Una estancia por dos noches
   (D) Una habitación con dos camas

Exercise 9

1. (A) Sólo se aceptan tarjetas y cheques.
   (B) No sabe si regresará.
   (C) Los bancos están cerrados.
   (D) El restaurante está en un barrio peligroso.

2. (A) Ellos tampoco tienen dinero.
   (B) Es un restaurante muy caro.
   (C) Ella había ofrecido pagar.
   (D) No quiere que sepan del problema.

3. (A) A su esposo
   (B) Al dueño
   (C) Al banco
   (D) A un amigo

4. (A) Alguien se la robó.
   (B) La dejó en el cajero automático.
   (C) Se la prestó a otra persona de la mesa.
   (D) Se le olvidó traerla.

Exercise 10

1. (A) Recibir un paquete que le envió su hijo
   (B) Mandarle un paquete a su hijo
   (C) Comprar seguros para su paquete
   (D) Comprar sellos y una tarjeta postal

2. (A) El paquete va a otro país.
   (B) El señor no pagó ese servicio.
   (C) Es posible que el paquete se pierda.
   (D) No pueden verificar la dirección.

3. (A) Debe enviarle a su hijo otro paquete
   (B) Llamar a su hijo
   (C) Volver a correos para iniciar una investigación
   (D) No debe hacer nada

4. (A) No se podrá confirmar el recibo.
   (B) El franqueo a EE.UU. es muy caro.
   (C) El paquete no contiene nada de valor.
   (D) El correo a EE.UU. es muy rápido.

Exercise 11

1. (A) Ha llegado tarde a la oficina.
   (B) Se ha equivocado de compañía.
   (C) Se ha mudado a un apartamento.
   (D) Ha contratado a un abogado.

2. (A) Para hacer un reclamo
   (B) Para pagar por la mudanza
   (C) Para hacer una cita
   (D) Para discutir los preparativos

3. (A) Llamar a la policía
   (B) Pedir un reembolso
   (C) Insultar al gerente
   (D) Poner una demanda

4. (A) Confundido
   (B) Avergonzado
   (C) Preocupado
   (D) Malhumorado

Exercise 12

1. (A) La señora no quiere abrir la puerta.
   (B) La puerta está rota.
   (C) El sofá no entra por la puerta.
   (D) Las butacas no llegaron.

2. (A) Sacaron la puerta.
   (B) Cortaron el sofá.
   (C) Devolvieron la mercancía.
   (D) Cambiaron la tela.

3. (A) Venía defectuosa.
   (B) Traía una tela diferente.
   (C) Tenía muchas manchas.
   (D) Era de un color diferente.

4. (A) Poner los muebles en su lugar
   (B) Tomar una decisión
   (C) Devolver la mercancía
   (D) Llamar al gerente

Exercise 13

1. (A) Diez mil dólares
   (B) Cinco mil dólares
   (C) Siete mil quinientos dólares
   (D) Dos mil quinientos dólares

2. (A) Un coche
   (B) Una moto
   (C) Un viaje
   (D) Una cámara

3. (A) Son prácticas y aburridas.
   (B) Él quiere gastar todo el dinero.
   (C) Son caprichosas.
   (D) Cuestan demasiado.

4. (A) Un capricho
   (B) Un televisor
   (C) Nada
   (D) Una nueva cocina

Exercise 14

1. (A) Tranquila
    (B) Relajada
    (C) Preocupada
    (D) Perdida

2. (A) La clonación de su tarjeta
    (B) La muerte de un familiar
    (C) La compra en el supermercado
    (D) El viaje a España

3. (A) No tenía fondos.
    (B) Se sospechaba de su mal uso.
    (C) La usó mucho en Europa.
    (D) Su marido cerró la cuenta.

4. (A) Es maestra.
    (B) Viaja mucho.
    (C) Es viuda.
    (D) Es muy astuta.

Unit 2 Short Narratives

Introduction/Explanation:

In this section, you will hear short narratives and/or dialogues. Make sure to concentrate on what the speaker is saying. At the end of the narrative, you will hear a series of questions based on what you have heard. Answers will be printed in your test booklet. As this is a multiple choice exercise, you will be penalized for guessing incorrectly.

Test-Taking Strategies for the Student:

1. Look at the printed answers in the test booklet to see if you can get an idea of what the topic is going to be.
2. Do not worry if you cannot understand every spoken word.
3. See if you can answer the questions who, what, where, when and why based on the content of the narrative.
4. See if you can narrow down your choices to half.
5. Try not to guess because points will be deducted for the incorrect answers.

DIRECTIONS: You will now listen to a selection. After each one, you will be asked some questions about what you have just heard. Select the best answer to each question from among the four choices printed in your test booklet and fill in the corresponding oval on the answer sheet.

INSTRUCCIONES: Ahora vas a escuchar una selección. Después de cada una se te harán varias preguntas sobre lo que acabas de escuchar. Para cada pregunta, elige la mejor respuesta de las cuatro opciones escritas en tu libreta de examen y rellena el óvalo correspondiente en la hoja de respuestas.

Exercise 1

1. (A) Se resuelve el conflicto entre la mente consciente y la subconsciente.
   (B) Uno pierde su deseo de comer durante la hipnosis.
   (C) La hipnosis exige dietas estrictas.
   (D) El resultado es que uno quema más calorías.

2. (A) El deseo de fumar
   (B) El deseo de dormir más
   (C) Un sentido de ansiedad
   (D) No hay ninguno.

3. (A) Uno se duerme.
   (B) Uno pierde el control.
   (C) Uno pierde las ganas de comer por comer.
   (D) Uno pasa hambre.

4. (A) El hipnotizador lo sugestiona.
   (B) Uno tiene la mente relajada y segura.
   (C) Uno cree en los resultados aun antes de la hipnosis.
   (D) Se pone más terco por medio de la hipnosis.

Exercise 2

1. (A) Hay sólo un volumen de anglicismos.
   (B) El uso de las letras ch y ll
   (C) La pérdida de dos letras y la cantidad de anglicismos aceptados
   (D) Hay un diccionario especializado de anglicismos.

2. (A) Que quite la ch y la ll del alfabeto
   (B) Que tenga más cuidado con el alfabeto y con la lengua española
   (C) Que publique un diccionario de anglicismos
   (D) Que publique veintidós volúmenes del diccionario

3. (A) Que se eliminen de la lengua
   (B) Que formen parte de un diccionario especial
   (C) Que se limiten a un solo volumen
   (D) Que se publiquen en veintidós volúmenes

4. (A) Han sido una parte de la lengua desde la fundación de los países americanos.
   (B) Son letras únicas que no se encuentran en otros idiomas.
   (C) Son letras comunes en español.
   (D) Esta acción llevaría a más cambios en el alfabeto.

Exercise 3

1. (A) Los espectáculos en Argentina
   (B) Cómo pedir artesanía argentina
   (C) Antigüedades y cultura argentinas para turistas
   (D) Cómo comprar artesanía argentina

2. (A) Tiene buenos precios.
   (B) Hay festivales.
   (C) Es el más grande de los mercados argentinos.
   (D) Allí se encuentra toda clase de antigüedades.

3. (A) Ver un festival folclórico
   (B) Comprar artesanías criollas
   (C) Comer tamales y empanadas
   (D) Ver espectáculos

Exercise 4

1. (A) 20 años
   (B) 15 años
   (C) medio siglo
   (D) más de 100 años

2. (A) está abierto sólo para la cena
   (B) sólo sirve comida hawaiana
   (C) no hay colas largas
   (D) las porciones de comida son enormes

3. (A) no servía comidas nutritivas
   (B) el costo de la comida subió muchísimo
   (C) el público se cansó por la falta de variedad en la comida
   (D) fueron reemplazadas por las cadenas de comida rápida

4. (A) útiles
   (B) gratificantes
   (C) impersonales
   (D) anticuadas

Exercise 5

1. (A) En un programa de turismo
   (B) En un programa de bienes raíces
   (C) En una clase de arquitectura
   (D) En un discurso sobre relaciones históricas entre España y Estados Unidos

2. (A) Allí se encuentra el gobierno de la ciudad actual.
   (B) Es una maravilla arquitectónica.
   (C) Allí se encuentra la fuente de la juventud.
   (D) Nunca fue conquistado y fue la posesión de cuatro países.

3. (A) En un renacimiento
   (B) En decadencia
   (C) En depresión económica
   (D) En plena prosperidad

4. (A) San Agustín tenía la arquitectura más antigua del continente.
   (B) San Agustín fue la primera ciudad en los EE.UU. establecida por españoles.
   (C) San Agustín fue la primera colonia en incorporarse como ciudad.
   (D) San Agustín llevaba el nombre de una ciudad en España.

Exercise 6

1. (A) Pidió asilo político en Miami.
   (B) Se perdió en el tráfico de Nueva York.
   (C) Volvió a Cuba con su equipo.
   (D) Ganó otro campeonato.

2. (A) Porque ya era estadounidense
   (B) Por su rapidez
   (C) Porque tenía interés en carreras de automóviles
   (D) Porque podría ganar más dinero

3. (A) Volver a Cuba
   (B) Vivir en Nueva York
   (C) Ganar otra vez una competición en Nueva York
   (D) Volver a batir a Lance Armstrong

Exercise 7

1. (A) Estaba en contra de muchos intelectuales estadounidenses.
   (B) Sabía que Franco iba a ganar la guerra.
   (C) No le gustaban los republicanos.
   (D) Franco le había prometido un puesto en el gobierno.

2. (A) Objetiva
   (B) Didáctica
   (C) Partidaria
   (D) Sarcástica

3. (A) La política de la guerra es todavía un tema controvertido.
   (B) La Guerra Civil no es un tema popular.
   (C) Fussell Palmer fue franquista.
   (D) La película contiene imágenes fuertes de la guerra.

Exercise 8

1. (A) Hablar inglés en su programa "Al Rojo Vivo"
   (B) Dar un salto a la televisión en inglés
   (C) Cambiar de una cadena hispana a una americana
   (D) Conducir un programa bilingüe

2. (A) Trabajar para la cadena CNN
   (B) Producir una telenovela en español
   (C) Entrevistar a personalidades latinas
   (D) Dirigir programas infantiles

3. (A) Argentina
   (B) Cuba
   (C) México
   (D) Puerto Rico

4. (A) Univisión
   (B) ABC
   (C) CNN
   (D) NBC

Exercise 9

1. (A) Apareció un día en la puerta.
   (B) Un amigo lo llevó de visita.
   (C) Era el perro de la criada.
   (D) Fue un regalo de cumpleaños de un amigo.

2. (A) Dormía en la misma cama de Picasso.
   (B) Era la mascota de la compañera de Picasso.
   (C) Se comió un conejo de cartón hecho por Picasso.
   (D) Era el ayudante inseparable de Picasso.

3. (A) Jugaban todos los días en el jardín.
   (B) Visitaban el estado de California frecuentemente.
   (C) Eran los únicos permitidos en el estudio de Picasso cuando trabajaba.
   (D) Picasso los conoció el mismo día.

4. (A) Estados Unidos
   (B) Francia
   (C) Inglaterra
   (D) Italia

Exercise 10

1. (A) Un equipo de fútbol
   (B) Un bufete de abogados
   (C) Una fábrica de ataúdes
   (D) Una oficina de psicólogos

2. (A) Conseguir nuevos fanáticos de fútbol
   (B) Evitar problemas psicológicos
   (C) Dar publicidad a diversos productos
   (D) Enterrar a los hinchas apasionados

3. (A) Reflejan la pasión de la persona.
   (B) Son más livianos y duraderos.
   (C) Hay muchos modelos para escoger.
   (D) El precio es más barato.

4. (A) Azul y amarillo
   (B) Rojo y negro
   (C) Marrón y blanco
   (D) Verde y rosado

Exercise 11

1. (A) Un museo
   (B) Un refugio
   (C) Un orfanato
   (D) Un estudio

2. (A) Unas joyas de oro
   (B) Unas piezas prehispánicas
   (C) Unas pinturas suyas
   (D) Una serie de cartas

3. (A) Por su talento y su vida trágica
   (B) Por su vestuario y temperamento
   (C) Por su relación con otros pintores
   (D) Por su arte renacentista

4. (A) los artistas desconocidos.
   (B) las causas sociales.
   (C) los vendedores ambulantes.
   (D) las escritoras de México.

Exercise 12

1. (A) En California solamente
   (B) En muchas partes de Estados Unidos
   (C) En los estados cerca de la frontera con México
   (D) En California y la Florida

2. (A) Para ir al campo de trabajo
   (B) Para asistir a un partido de fútbol
   (C) Para ser expulsados de Estados Unidos
   (D) Para celebrar las fiestas patrias

3. (A) Querían mejorar sus aptitudes.
   (B) Querían contar historias.
   (C) Querían impresionar al público.
   (D) Querían hacerlas lucir más bonitas.

4. (A) Una pared de una tienda de tortillas de maíz
   (B) Un pilar de concreto de una carretera
   (C) Una estación de trenes de Detroit
   (D) Un parque chicano de San Diego

Exercise 13

1. (A) Tiene miedo de que roben la obra maestra.
   (B) Picasso pidió que no lo sacaran.
   (C) Tiene miedo de que sufra un percance.
   (D) Es una obra muy grande y frágil.

2. (A) Nueva York
   (B) Bilbao
   (C) Tokio
   (D) Santiago de Compostela

3. (A) Era sólo para el pueblo vasco.
   (B) Tenía que volver a la ciudad de Nueva York.
   (C) Era para todo el pueblo español.
   (D) Tenía influencias de la pintura de Velázquez.

4. (A) La tragedia de una guerra y de las libertades
   (B) La pérdida de la familia
   (C) La diferencia entre la cultura y el gobierno
   (D) La belleza del campo vasco

Exercise 14

1. (A) El juego de rayuela
   (B) El juego de dama
   (C) El juego de dominó
   (D) El juego de ajedrez

2. (A) Nueve meses
   (B) Seis meses
   (C) Un año
   (D) Tres años

3. (A) Niños de primer grado
   (B) Jóvenes de 15-18 años
   (C) Adultos de 20-30 años
   (D) Personas mayores de 60 años

4. (A) Más de un millón
   (B) Medio millón
   (C) Más de cien mil
   (D) Cincuenta mil

Unit 3 Long Dialogues and Narratives

Introduction/Explanation

In this unit, you will hear long narratives and dialogues each lasting approximately five minutes. These selections may be interviews, cultural communications, broadcasts or other material appropriate to the spoken language. Listen carefully since each selection is said only once.

Test-Taking Strategies for the Student:

1. Take notes as you listen (either in English or Spanish).
2. Do not write full sentences; just write words or facts about key points that you think you may be asked about.
3. See if you can answer the questions who, what, where, when and why based on the content of the narrative.
4. Do not answer a question unless you are sure of your answer. Points will be deducted for the wrong answer.

DIRECTIONS: You will now listen to a selection of about five minutes duration. First, you will have two minutes to read the questions silently. Then you will hear the selection. You may take notes in the blank space provided as you listen. You will not be graded on these notes. At the end of the selection, you will answer a number of questions about what you have heard. Based on the information provided in the selection, select the BEST answer for each question from among the four choices printed in your test booklet and fill in the corresponding oval on the answer sheet.

INSTRUCCIONES: Ahora escucharás una selección de unos cinco minutos de duración. Primero tendrás dos minutos para leer las preguntas en voz baja. Después escucharás la selección. Se te permite tomar apuntes en el espacio en blanco de esta hoja mientras escuchas. Estos apuntes no serán calificados. Al final de la selección elige la MEJOR respuesta a cada pregunta de las cuatro opciones impresas en tu libreta de examen y rellena el óvalo correspondiente en la hoja de respuestas.

Exercise 1

1. ¿Cómo aprendió Colón la navegación marítima?

    (A) Sirviendo en la armada española

    (B) Estudiando mapas y las estrellas

    (C) Habiendo pasado 10 años como marinero

    (D) Habiendo hecho muchos viajes en el Mediterráneo

2. ¿Qué cosa ocurrió en España en 1492?

    (A) Los árabes y los judíos fueron expulsados.

    (B) Colón se hizo miembro de los Templarios.

    (C) El Papa Clemente V aprobó el proyecto de Colón.

    (D) Hubo una guerra entre España y Francia.

3. ¿A qué país le presentó Colón originalmente su propuesta?

    (A) A Francia

    (B) A Inglaterra

    (C) A Portugal

    (D) Al Vaticano

4. ¿Cómo pasó Cristóbal Colón sus últimos años?

    (A) Viajando entre América y España

    (B) Viviendo una vida difícil

    (C) Gobernando las tierras descubiertas

    (D) Disfrutando de su riqueza

5. ¿Cómo describe esta selección a Colón?

    (A) Una figura histórica controvertida

    (B) Un experto de la navegación

    (C) Un héroe que fue maltratado

    (D) Un buen hombre de negocios

Exercise 2

1. ¿Cuál es el propósito de la misión en la cual Von Storch volará?

    (A) Realizar experimentos ambientales y médicos

    (B) Recoger a astronautas rusos de la Estación

    (C) Llevar alimentos a la Estación

    (D) Colaborar con un astronauta brasileño

2. ¿Por qué se cree Von Storch cualificado para la misión?

    (A) Es de la edad apropiada.

    (B) Han solicitado a un chileno.

    (C) Ha volado desde los 16 años.

    (D) Habla ruso.

3. ¿Por qué no fue Von Storch al espacio en el 2003?

    (A) Era demasiado joven en aquel año.

    (B) La nave se usaba para otra cosa.

    (C) No estaba entrenado suficientemente.

    (D) No había necesidad de una misión.

4. ¿En qué épocas del año se puede salir al espacio?

    (A) En el otoño y el invierno

    (B) En el verano y el invierno

    (C) En la primavera y el verano

    (D) En la primavera y el otoño

5. ¿Qué siente Von Storch por el astronauta Marcos Pontes?

    (A) Rabia

    (B) Indiferencia

    (C) Respeto

    (D) Celos

Exercise 3

1. ¿Qué tipo de programa es "Con todos los acentos"?
   (A) Una comedia
   (B) De servicio público
   (C) De corte publicitario
   (D) De música flamenca

2. Según este reporte, ¿cuántos extranjeros empadronados existen en España?
   (A) Un poco más de cuatro millones
   (B) Más o menos un millón
   (C) No se sabe a ciencia cierta
   (D) Ha sobrepasado quince millones

3. El objetivo principal del programa es…
   (A) traer a más inmigrantes a España.
   (B) cambiar los acentos de los inmigrantes.
   (C) informar a los inmigrantes.
   (D) provocar miedo en la comunidad.

4. ¿Qué piensa abordar la sección del programa "Esta semana"?
   (A) Alguna denuncia pública
   (B) Una noticia de servicio público
   (C) Una hazaña deportiva
   (D) La integración social

5. Los presentadores de "Con todos los acentos" son de…
   (A) Japón y China.
   (B) México y Estados Unidos.
   (C) Marruecos y Colombia.
   (D) Italia y Bélgica.

Exercise 4

1. ¿Con qué propósito viajan estos campesinos colombianos?
   (A) Para aprender nuevas técnicas agrícolas
   (B) Para trabajar en los campos de Cataluña
   (C) Para estudiar en las universidades españolas
   (D) Para solicitar préstamos del gobierno español

2. Según el artículo, ¿qué requisitos necesitan las personas para participar en este programa?
   (A) Hablar español y conocer un poco de historia
   (B) Saber ahorrar e invertir dinero
   (C) Ser pilotos y ganaderos de primera clase
   (D) Labrar la tierra y no tener muchos recursos

3. ¿Por qué prefieren trabajar estas personas en España?
   (A) Para ganar más dinero
   (B) Para divertirse mucho
   (C) Para trabajar menos horas
   (D) El costo de vida es bajo.

4. ¿Qué sugiere esta organización que los trabajadores hagan con el dinero?
   (A) Que lo gasten
   (B) Que lo presten
   (C) Que lo inviertan
   (D) Que lo regalen

5. ¿Qué echa de menos Gregorio Cárdenas cada vez que viaja a España?
   (A) Sus animales
   (B) Su maquinaria
   (C) Sus amigos
   (D) Su familia

Exercise 5

1. ¿Qué quería ser Botero antes de ser artista?
   - (A) Músico
   - (B) Torero
   - (C) Actor
   - (D) Soldado

2. ¿Qué significa "aunque esta vez no tenía un toro delante, más cornadas da el hambre"?
   - (A) Su nueva carrera de arte no traía mucho dinero
   - (B) Pintaba muchas escenas de toros
   - (C) Echaba de menos las corridas de toros
   - (D) Cuando era un artista pobre, comía carne de toro

3. Según Botero, actualmente ¿cuál es su motivación principal para trabajar?
   - (A) La oportunidad de ayudar a sus asistentes
   - (B) El deseo de mantener su reputación
   - (C) El dinero que puede cobrar
   - (D) El placer del trabajo mismo

4. Según la selección, ¿qué se ve representado en las obras de Botero?
   - (A) El estilo de Rubens
   - (B) El rostro de su modelo favorita
   - (C) El amor por su patria
   - (D) El paisaje de Colombia

5. Se puede deducir, según la selección, que...
   - (A) Botero sigue produciendo más obras.
   - (B) a Botero no le gusta pintar los animales.
   - (C) Botero vive todavía en Colombia.
   - (D) el arte de Botero ya no está de moda.

Exercise 6

1. A Diego Lerner le apasionan...
   - (A) los carros.
   - (B) los caballos.
   - (C) los libros.
   - (D) los niños.

2. ¿Por qué le gusta a Diego cooperar con la Fundación para la Prevención y Ayuda del Cáncer de Mama?
   - (A) Tiene mucho dinero para regalar.
   - (B) Es una digna y buena causa.
   - (C) Puede deducir el dinero de los impuestos.
   - (D) Su hermana murió de la enfermedad.

3. Según el Señor Lerner, ¿cuál es la diferencia entre el mercado norteamericano y el latino?
   - (A) El mercado latino tiene menos poder adquisitivo.
   - (B) La cultura norteamericana no acepta a la latina.
   - (C) En Latinoamérica se gana más que en Estados Unidos.
   - (D) Los valores morales son muy diferentes.

4. ¿Qué piensa hacer la compañía Disney?
   - (A) Expandir el mercado a otros países
   - (B) Invertir más dinero en la bolsa de valores
   - (C) Crear fuentes de trabajo para mucha gente
   - (D) Transmitir programas para niños y adultos

5. ¿Por qué está creciendo más la compañía Disney en América Latina?
   - (A) Por los valores morales y familiares que transmite
   - (B) Por el aumento de precio de sus acciones
   - (C) Por el liderazgo de los gerentes
   - (D) Por no excluir los medios audiovisuales

Exercise 7

1. ¿Dónde se presentó esta exposición antes de llegar al Museo de la Ciudad de Madrid?
   (A) En Argentina
   (B) En Alemania
   (C) En Francia
   (D) En México

2. ¿Por qué se hizo famosa la novela *Rayuela* de Cortázar?
   (A) Tiene un final trágico.
   (B) Las relaciones entre lector y escritor.
   (C) Habla de la dictadura argentina.
   (D) Su contenido fundamentalista.

3. ¿Qué hacía Cortázar antes de mudarse a París?
   (A) Era escritor.
   (B) Era consejero cultural.
   (C) Era embajador.
   (D) Era maestro.

4. ¿Quiénes ayudaron a reunir los materiales para esta exposición sobre Cortázar?
   (A) Sus hijos
   (B) Sus hermanos
   (C) Su esposa y amigos
   (D) Su editor y fotógrafo

5. ¿Cuál fue el resultado de esta exposición sobre Cortázar?
   (A) Se publicó el libro *Presencias*.
   (B) Se habló sobre la causa de su muerte.
   (C) Se felicitó a todos los exiliados argentinos.
   (D) Se produjo una obra teatral.

Exercise 8

1. Según la selección, ¿cómo se explican las especies raras que se encuentran en las islas?
   (A) Evolucionaron independientemente por su aislamiento.
   (B) Es un gran misterio inexplicable.
   (C) Llegaron allí de Sudamérica en naves de piratas.
   (D) Viajaron allí de Antártida hace millones de años.

2. ¿Qué ocurre en el barco que lleva a los visitantes a las islas?
   (A) Les presentan una película sobre la historia de las islas.
   (B) Les dan lecciones de cómo sacar fotos de los animales.
   (C) Les enseñan a respetar y conservar el medio ambiente.
   (D) Les explican la geografía y la geología de las islas.

3. ¿Cómo se llega a las islas individuales?
   (A) En yate
   (B) En barquito
   (C) En avión
   (D) En helicóptero

4. ¿Qué cosa NO menciona el artículo como actividad turística en las islas Galápagos?
   (A) El buceo
   (B) Tomar el sol
   (C) Observar la naturaleza
   (D) La natación

5. ¿Cómo se puede caracterizar esta selección?
   (A) Juvenil
   (B) Científica
   (C) Didáctica
   (D) Turística

Exercise 9

1. Según Jorge Ramos, ¿por qué se alejó de la Iglesia?

   (A) No le gustaban los sacerdotes.

   (B) Tenía que aportar su dinero.

   (C) No quería asistir a misa.

   (D) Lo castigaban mucho en el colegio.

2. ¿A qué se debe la fama de Jorge Ramos en Estados Unidos?

   (A) Es presentador de un noticiero.

   (B) Es un padre extraordinario.

   (C) Ha viajado por muchos países.

   (D) Ha entrevistado al presidente actual.

3. ¿Por qué decidió Jorge Ramos dejar a su nativo México?

   (A) Fue en busca de un mejor porvenir

   (B) Le ofrecieron un trabajo

   (C) Sabía que no podía lograr cambios

   (D) Recibió una beca para estudiar

4. ¿Qué causa ha decidido apoyar Jorge Ramos?

   (A) La de los periodistas

   (B) La de los indocumentados

   (C) La de la Iglesia

   (D) La de los políticos

5. ¿Cuál es el dilema que enfrenta Jorge Ramos?

   (A) No sabe el tema de su próximo libro.

   (B) No sabe a quién apoyar en las elecciones de México.

   (C) No sabe si se convertirá en ciudadano estadounidense.

   (D) No sabe si aceptará trabajo en otra cadena de televisión.

6. Según este artículo, ¿a qué conclusión podemos llegar acerca de este periodista?

   (A) Es muy respetado por todos.

   (B) Es una persona amargada.

   (C) Es un idealista empedernido.

   (D) Es un benévolo autoritario.

Exercise 10

1. ¿Por qué los floricultores de Colombia no toman en serio la competencia de China en el mercado internacional?

   (A) Hay otros países que exportan más flores de China.

   (B) China no puede abastecer su propio mercado.

   (C) Hay muchas regulaciones con las que China no puede cumplir.

   (D) El precio de las flores de China cambia constantemente.

2. ¿Cuál es la diferencia entre la producción de flores colombianas y las chinas?

   (A) Las flores colombianas son de mejor calidad.

   (B) El mercado chino produce flores que duran más tiempo.

   (C) Los chinos tienen más variedad que los colombianos.

   (D) En Colombia hay areas muy grandes que producen muchas flores.

3. ¿Qué es lo que más inquieta a los floricultores de Colombia?

   (A) La reevaluación de su moneda

   (B) El costo del transporte

   (C) La amenaza de las rosas ecuatorianas

   (D) Las rosas sin espinas que vienen de China

4. Según Andrés Escobar, ¿por qué le va a ser difícil a China entrar al mercado de rosas en Los Estados Unidos?

   (A) Ya existe mucha competencia.

   (B) La calidad de sus rosas es inferior.

   (C) Las rosas chinas no tienen espinas.

   (D) El transporte y el costo de flete es muy alto.

5. Según este artículo, los colombianos compiten en el mercado sofisticado, de las flores donde…

   (A) hay muchas variedades.

   (B) son pocos los floricultores.

   (C) se paga más por ellas.

   (D) Ecuador es su mayor rival.

Exercise 11

1. ¿Cuáles son los países latinoamericanos más conocidos por la cosecha de la tagua?

   (A) Venezuela, Chile y Cuba
   (B) Brasil, México y Ecuador
   (C) Colombia, Ecuador y Panamá
   (D) Costa Rica, Panamá y Puerto Rico

2. De acuerdo con este reportaje, los diseñadores de moda usaban la tagua para …

   (A) crear botones.
   (B) hacer zapatos.
   (C) pintar telas.
   (D) realizar sus creaciones.

3. ¿Quiénes fueron responsables por llevar la tagua a Europa?

   (A) Los indígenas sudamericanos
   (B) Los diseñadores de moda
   (C) Los joyeros colombianos
   (D) Los españoles

4. ¿Cuánto tiempo puede durar una figura hecha de tagua?

   (A) 15 años
   (B) 3 meses
   (C) 50 años
   (D) Toda una vida

5. ¿Para qué se usan las hojas de la palma de tagua?

   (A) Para alimentar el ganado
   (B) Para diseñar joyas
   (C) Para construir techos de casas
   (D) Para decorar vitrinas de tiendas

Exercise 12

1. ¿Qué experiencia de su juventud temprana le inspiró a Carreras a cantar?

   (A) Su padre fue cantante también.
   (B) Una película que vio a los seis años lo influyó.
   (C) Fue inspirado durante una visita a la ópera.
   (D) Se dio cuenta de que tenía talento.

2. ¿Qué aspecto de la ópera le gusta más a Carreras?

   (A) La combinación de canción y actuación
   (B) La coordinación con la orquesta
   (C) La interacción con el público
   (D) La expresión de emociones por medio de la música

3. ¿En qué se matriculó Carreras en la universidad?

   (A) La música
   (B) Las ciencias químicas
   (C) El drama
   (D) No asistió a la universidad

4. ¿Qué influencia ha tenido Montserrat Caballé en la carrera del cantante?

   (A) Lo ha apoyado durante toda su carrera.
   (B) Le enseñó a cantar en la ópera.
   (C) Ha sido muy competitiva en la ópera.
   (D) Han actuado juntos en muchas óperas.

5. ¿Por qué fundó Carreras la fundación Internacional de la Lucha Contra la Leucemia?

   (A) Tenía mucho dinero que regalar.
   (B) Un pariente suyo murió de la enfermedad.
   (C) Él sufrió y se recuperó de la enfermedad.
   (D) Fue una manera de atraer publicidad.

Exercise 13

1. ¿Por qué estaba desilusionada la familia real?
   - (A) La novia no es de sangre noble.
   - (B) Por las lluvias fuertes que caían.
   - (C) Muy poca gente vino a ver a los príncipes.
   - (D) La ceremonia no tuvo lugar en el palacio real.

2. ¿Qué tuvo que hacer oficialmente el príncipe antes de recitar los votos de matrimonio?
   - (A) Pedirle permiso a su padre, el rey
   - (B) Recitar unos versículos de la Biblia
   - (C) Presentar los anillos
   - (D) Pedirle permiso al arzobispo

3. ¿Por qué dice el locutor que el príncipe salvó el momento?
   - (A) Encontró los anillos.
   - (B) Recordó el texto que se le había olvidado durante un momento.
   - (C) Entró con su madre, la reina.
   - (D) Le abrió el paraguas a su novia en la lluvia.

4. ¿Qué emoción parecieron expresar los príncipes después de la ceremonia?
   - (A) Nada más que sonrisas y brillo en los ojos
   - (B) Una felicidad profunda
   - (C) Lágrimas de alegría
   - (D) Un poco de temor por su nueva vida

5. ¿Qué les pidió a los príncipes el arzobispo?
   - (A) Que dieran las gracias a Dios por el matrimonio
   - (B) Que reinaran muchísimos años
   - (C) Que viajaran por todo el país, para fomentar nuevo interés en el matrimonio
   - (D) Que ayudaran a los menos afortunados del pueblo español

Exercise 14

1. ¿Qué hizo la señora en Guatemala?
   - (A) Estudió.
   - (B) Enseñó clases.
   - (C) Visitó a un pariente en la universidad.
   - (D) Fue turista.

2. ¿Cuál de los siguientes temas NO mencionó como evidencia de la discriminación hacia los indígenas?
   - (A) Los privilegios de los blancos
   - (B) Los indígenas, que son la mayoría, están al margen de la sociedad
   - (C) Los indígenas no pueden comprar casas en los barrios de los blancos
   - (D) El acceso limitado a la educación

3. Según la señora, ¿cuál es un resultado del hecho de que muchos indígenas en pueblos aislados no hablan castellano y no saben escribir?
   - (A) No pueden votar ni participar en la sociedad.
   - (B) No conocen mucho de su propio país.
   - (C) Están en peligro de perder su trabajo.
   - (D) Hay un movimiento de revolución.

4. ¿Cómo se puede caracterizar la comida y la forma de vestirse en Guatemala?
   - (A) Europeas
   - (B) Españolas
   - (C) Modernas
   - (D) Tradicionales

5. ¿Cuál parece ser el tono de la señora basado en su experiencia en Guatemala?
   - (A) Indiferente
   - (B) Cauteloso
   - (C) Pesimista
   - (D) Optimista

Reading

Unit 4 Reading Comprehension

Introduction/Explanation:

In this unit, you will be given a series of passages of varying length and difficulty. These texts are taken from newspaper and magazine articles, advertisements, essays, journals and other authentic writings that have been unedited. Following each selection, you will be asked to answer a number of multiple choice questions, so that comprehension of the passage is critical.

This section consists of 35-40 multiple choice questions based on reading comprehension of given passages, and comprises 30 percent of the exam score. A total of 55 minutes is allotted for completion. The texts are all from authentic sources, and reflect varying degrees of difficulty.

Test-Taking Strategies for the Student:

1. Read the entire passage in order to get an idea of what it is all about.
2. Look at the questions and possible answers in order to narrow down what you are looking for in the text.
3. Go back and read the passage again, with special attention to the information being asked for.
4. Do not be concerned if you do not understand every word in the passage. It is only important to comprehend the general theme and the underlying tone.
5. Try to eliminate clearly wrong answers from your options, and then select the most logical choice.
6. Do not guess, as you will be penalized for incorrect answers.

DIRECTIONS: Read the following passages carefully for comprehension. Each passage is followed by a number of incomplete statements or questions. Select the completion or answer that is best according to the passage and fill in the corresponding oval on the answer sheet.

INSTRUCCIONES: Lee con cuidado cada uno de los pasajes siguientes. Cada pasaje va seguido de varias preguntas u oraciones incompletas. Elige la mejor respuesta o terminación, de acuerdo con el pasaje, y rellena el óvalo correspondiente en la hoja de respuestas.

Exercise 1

Fragmento basado en un artículo que apareció en el periódico puertorriqueño *El Nuevo Día* el 26 de febrero de 2006.

Armonía

En un pueblo llamado Armonía, donde sólo se escuchaban los pájaros cantar, el río sonar y los niños jugar, ocurrió algo.

Allí vivían Pili, Rosita, Sakura, Raquel e Isabel. Las niñas iban a la escuela y ayudaban a mantener limpia su comunidad. Si veían basura en el piso, la recogían. En Armonía
(5) todos sabían quiénes eran estas niñitas.

Pero un día llegó el progreso a aquel pueblito hermoso. Comenzó la construcción de grandes proyectos: parque de diversión, edificios altos… Al pasar el tiempo ya no se oían los pájaros ni el río.

Un sábado las niñas fueron al parque de Armonía. ¡Qué sorpresa se llevaron! Todo estaba
(10) lleno de basura. En seguida empezaron a recogerla. Al terminar se sintieron satisfechas. Hicieron un plan para concienciar a los otros niños para mantener el parque limpio.

El sábado siguiente, cuando abrieron las puertas del parque, había algo diferente. En la entrada las niñas habían puesto un letrero que decía: "cuidemos el ambiente. ¡No se pierdan el mensaje esta tarde!" La voz se corrió a través de los niños. Todo el pueblo
(15) corrió hacia el parque, querían saber lo que pasaba. Hasta el alcalde estaba allí.

Comenzó Sakura. Contó lo que ellas hacían los sábados. Luego, siguió Pili, les dio las gracias por estar allí. Salieron Rosita y Raquel vestidas de zafacones. Mientras la muchedumbre las aplaudía llegó a la tarima Isabel, la más pequeña. Calmada, se paró frente a todos y les dijo: hoy es un día especial en Armonía. Hace tiempo que el pueblo
(20) no se reunía ¿Saben?, es importante cuidar nuestra comunidad y ambiente. Desde que el progreso llegó ya no escuchamos los pájaros ni el río. No podemos permitir que el progreso empañe nuestra felicidad y nos dañe. Este parque es para divertirnos en familia, pero con tanta basura ni los niños vienen. Queremos pedirles que no tiren la basura al piso, que no pisen las plantas y, lo más importante, que cuiden del ambiente."

(25) Luego de estas palabras, todos aplaudieron a las niñas y prometieron volver a hacer de Armonía aquel pueblito anhelado por todos.

1. Las niñas querían llamar la atención de los habitantes de Armonía y decidieron
   (A) poner un letrero en el parque.
   (B) celebrar el cumpleaños del pueblo.
   (C) plantar flores por todo el parque.
   (D) limpiar las riberas del río.

2. Las chicas se quejaban de que
   (A) las plantas casi no crecían.
   (B) el parque no tenía muchos bancos.
   (C) había mucha basura en el parque.
   (D) los pájaros se comían las flores.

3. ¿Cómo era el progreso para el pueblo de Armonía?
   (A) Magnífico
   (B) Dañino
   (C) Indiferente
   (D) Bienvenido

4. La gente del pueblo se dio cuenta de que habría una reunión en el parque por medio de
   (A) la televisión.
   (B) la radio.
   (C) los niños.
   (D) el alcalde.

5. El mensaje para la gente de Armonía era que
   (A) ayudaran a mantener limpia la comunidad.
   (B) se reunieran más a menudo para dialogar.
   (C) apoyaran más el progreso industrial.
   (D) construyeran un parque de diversión.

6. La meta de las niñas era
   (A) divertirse muchísimo.
   (B) cuidar del ambiente.
   (C) crear nuevos proyectos.
   (D) ayudar al prójimo.

7. Al fin y al cabo, ¿qué lograron hacer las niñas en el pueblo de Armonía?
   (A) Concienciar a los ciudadanos
   (B) Recaudar fondos
   (C) Expandir el parque
   (D) Convencer al alcalde

Exercise 2

Fragmento basado en un artículo publicado en la revista boricua *Añil* el 24 de mayo de 2002.

El Ferrocarril del cielo

Abuela, hace un tiempo que te fuiste en el ferrocarril del cielo. Recuerdo aquel triste día en la estación de la última despedida. Estaban todos los Santiago reunidos esperando tu partida. [A] Yo iba corriendo a la estación pues quería decirte adiós. Sabía en mi corazón, que *con tu pasaporte vencido* tendrías que partir este día. Al llegar a la entrada
(5) oí aquella triste voz: "Abuelita se nos va." Entre lágrimas y dolor entré en seguida a la estación y vi la gran tristeza de mi madre. Ellos sabían el destino del tren pero no deseaban que te fueras. [B] Me detuve a decir hola y a calmar la tristeza de mi madre que lloraba inconsolablemente. Entre palabra y palabra mi alma se desesperaba. Pues oía el anuncio retumbante por el altavoz de la estación. "¡Última llamada para despedirse
(10) de los pasajeros!" Traté y traté de decirte adiós pero no podía dejar a la familia con su tristeza y angustia. [C] Y antes de terminar de hablar con ellos y calmar sus ánimos oí el ferrocarril partir. Corrí de inmediato hacia el tren con el corazón en la mano. No importaba cuán rápido corría, el tren se alejaba apresuradamente. Finalmente, se perdió en el horizonte de mis esperanzas. [D] No pude decirte adiós. Me pareció ver tu mano
(15) ondulando suavemente un "te veo luego, Papo". Regresé a la estación y abracé a toda la familia. Sólo una alegría brillaba en mi corazón, las penas de esta vida ya no te molestarán más.

1. ¿Cuál es el tema principal de este cuento?
   (A) La pérdida del tren
   (B) La reunión de una familia
   (C) La muerte de un familiar
   (D) La celebración de un aniversario

2. Se puede concluir que este cuento ocurre en
   (A) una iglesia.
   (B) una estación de tren.
   (C) una casa particular.
   (D) una funeraria.

3. De acuerdo con el nieto, la abuela
   (A) era una buena cocinera.
   (B) llevaba mucho tiempo enferma.
   (C) no sufrirá más en este mundo.
   (D) lloraba inconsolablemente.

4. El tono de este cuento es
   (A) pesimista.
   (B) irónico.
   (C) sarcástico.
   (D) solemne.

5. Al final de la selección, ¿por qué se lamentó el nieto?
   (A) No pudo subirse al tren.
   (B) No pudo despedirse de la abuela.
   (C) Se confundió al ver el tren.
   (D) Había mucha gente en la estación.

6. ¿Qué indica la frase "con tu pasaporte vencido" (línea 4)?
   (A) La abuela no podía viajar sola.
   (B) La abuela necesitaba renovar el pasaporte.
   (C) La abuela ya estaba moribunda.
   (D) La abuela tenía que hacer algo urgente.

7. ¿Dónde se podría añadir la siguiente oración al texto? "**Allí, quedé en la vía cansado, confundido, triste y atolondrado**"?
   (A) Posición A (línea 3)
   (B) Posición B (línea 7)
   (C) Posición C (línea 11)
   (D) Posición D (línea 14)

Exercise 3

Fragmento del cuento *El tiempo borra* en *Macachines* por Javier de Viana.

El tiempo borra

—Bájese—le gritó desde la puerta de la cocina una mujer de apariencia vieja, que en seguida, arreglándose el pelo, fue hacia él, seguida de media docena de chiquillos curiosos.

—¿Cómo está?

—Bien, gracias; pase para adentro.

(5)   Ella no lo había reconocido. Él creía ver a su linda esposa en aquel rostro cansado y aquel pelo gris que aparecía bajo el pañuelo grande.

Entraron en el rancho, se sentaron, y entonces él dijo:

—¿No me conoces?

Ella quedó mirándolo, se puso pálida y exclamó con espanto:

(10) —¡Indalecio!

Empezó a llorar, y los chicos la rodearon. Después, se calmó un poco y habló creyendo justificarse.

—Yo estaba sola; no podía cuidar los intereses. Hoy me robaban una vaca; mañana me carneaban una oveja; después… habían pasado cinco años. Todos me decían que tú no

(15) volverías más, que te habían condenado por la vida. Entonces… Manuel Silva propuso casarse conmigo. Yo resistí mucho tiempo… pero después…

Y la infeliz seguía hablando, hablando, repitiendo, recomenzando, defendiéndose, defendiendo a sus hijos. Pero hacía rato que Indalecio no la escuchaba. Sentado frente a la puerta, tenía delante el extensivo panorama, la enorme llanura verde, en cuyo fin se

(20) veía el bosque occidental del Uruguay.

—Comprendes—continuaba ella—, si yo hubiera creído que ibas a volver…

1. Este cuento tiene lugar en
   (A) la ciudad.
   (B) el campo.
   (C) la costa.
   (D) el valle.

2. Según la selección, ¿qué sabemos acerca de Indalecio?
   (A) Estuvo en la cárcel.
   (B) Vivía en el Uruguay.
   (C) Era un agricultor.
   (D) Tenía mucha hambre.

3. ¿Cómo se puso la mujer al reconocer a Indalecio?
   (A) Contenta
   (B) Nerviosa
   (C) Atolondrada
   (D) Enojada

4. Después de esperar un tiempo, la mujer decidió
   (A) buscar un trabajo.
   (B) construir una casa nueva.
   (C) mudarse a la ciudad.
   (D) casarse de nuevo.

5. ¿Qué quiere decir la mujer cuando le dice a Indalecio:"Si yo hubiera creído que ibas a volver…"?

(A) No habría cambiado de casa.

(B) No habría vendido el ganado.

(C) Habría esperado su retorno.

(D) Habría ido al salón de belleza.

6. ¿Qué apariencia tenía la mujer?

(A) Tenía un aspecto juvenil.

(B) Se movía con mucha rapidez.

(C) Su rostro mostraba cansancio.

(D) Se veía mayor de edad (envejecida).

Exercise 4

Fragmento del cuento corto *El décimo* en *Arco iris* de *Obras completas, VIII* por Emilia Pardo Bazán.

El décimo

¿La historia de mi boda? Óiganla ustedes; es bastante original.

Una chica del pueblo, muy mal vestida, y en cuyo rostro se veía pintada el hambre, fue quien me vendió el décimo de billete de lotería, a la puerta de un café, a las altas horas de la noche. Le di por él la enorme cantidad de un duro. ¡Con qué humilde y graciosa
(5)   sonrisa respondió a mi generosidad!

—Se lleva usted la suerte, señorito —dijo ella con la exacta y clara pronunciación de las muchachas del pueblo de Madrid.

—¿Estás segura? —le pregunté en broma, mientras yo metía el décimo en el bolsillo del sobretodo y me subía el cuello a fin de protegerme del frío de diciembre.

(10)   —¡Claro que estoy segura! ¡Ya lo verá usted señorito! Si yo tuviera dinero no lo compraría usted… El número es el 1.620; lo sé de memoria, los años que tengo, diez y seis, y los días del mes que tengo sobre los años, veinte justos. ¡Ya ve si lo compraría yo!

—Pues, hija —respondí queriendo ser generoso—, no te apures: si el billete saca premio… la mitad será para ti.

(15)   Una alegría loca se pintó en los negros ojos de la chica, y con la fe más absoluta, cogiéndome por un brazo, exclamó:

—¡Señorito! por su padre y por su madre, déme su nombre y las señas de su casa. Yo sé que dentro de ocho días seremos ricos.

Sin dar importancia a lo que la chica decía le di mi nombre y mis señas; y diez minutos
(20)   después ni recordaba el incidente.

1. El narrador describe a la vendedora de lotería como una chica
   (A) inválida.
   (B) pobre.
   (C) amable.
   (D) sorda.

2. ¿Qué representaba el número del billete de lotería para la muchacha?
   (A) Su edad
   (B) Su futuro
   (C) Su amor
   (D) Su felicidad

3. ¿Qué le prometió el señorito a la vendedora cuando compró el billete?
   (A) Darle sus señas y número de teléfono.
   (B) Darle dinero si ganaba el billete.
   (C) Comprarle billetes todas las semanas.
   (D) Regalarle un abrigo de invierno.

4. ¿Por qué no se quedó con el billete la vendedora?
   (A) Sabía que no iba a ganar.
   (B) No le gustaban los números.
   (C) No tenía el dinero.
   (D) Quería ser bondadosa.

5. ¿Dónde tiene lugar esta narración?

    (A) En la casa de unos amigos

    (B) En un viaje de placer

    (C) En las afueras de un restaurante

    (D) En un concierto de música

6. Por la descripción que da el narrador, se puede deducir que este cuento tiene lugar en

    (A) el verano.

    (B) el invierno.

    (C) el otoño.

    (D) la primavera.

7. Según la selección, ¿de qué estaba segura la chica?

    (A) Que el décimo ganaría

    (B) Que compraría una casa

    (C) Que tendría un abrigo nuevo

    (D) Que celebraría su cumpleaños con amigos

Exercise 5

Fragmento del cuento corto *No oyes ladrar los perros* en *El llano en llamas* por Juan Rulfo.

No oyes ladrar los perros

—Todo esto que hago, no lo hago por usted. Lo hago por su difunta madre. Porque usted fue su hijo. Por eso lo hago. Ella me reconvendría si yo lo hubiera dejado tirado allí, donde lo encontré, y no lo hubiera recogido para llevarlo a que lo curen, como estoy haciéndolo. Es ella la que me da ánimos, no usted. Comenzando porque a usted no le

(5)   debo más que puras dificultades, puras mortificaciones, puras vergüenzas [A].

Sudaba al hablar. Pero el viento de la noche le secaba el sudor. Y sobre el sudor seco, volvía a sudar.

—Me derrengaré pero llegaré con usted a Tonaya, para que le alivien esas heridas que le han hecho. [B] Y estoy seguro de que, en cuanto se sienta usted bien, volverá a sus malos

(10)   pasos. Eso ya no me importa. Con tal que se vaya lejos, donde yo no vuelva a saber de usted. Con tal de eso... porque para mí ya no es mi hijo. He maldecido la sangre que usted tiene de mí. [C] La parte que a mí me toca la he maldecido. He dicho: "¡Que se le pudra en los riñones la sangre que yo le di!" Lo dije desde que supe que usted andaba trajinando por los caminos, viviendo del robo y matando gente... Y gente buena. Y sino, allí

(15)   está mi compadre Tranquilino. [D] El que le dio su nombre. A él también le tocó la mala suerte de encontrarse con usted. Desde entonces dije: "Ése no puede ser mi hijo".

—Mira a ver si ya ves algo. O si oyes algo. Tú que puedes hacerlo desde allá arriba, porque yo me siento sordo.

1. Según el padre, ¿qué le había ocurrido a su hijo?
   (A) Fue mordido por un perro.
   (B) Había sido herido por alguien.
   (C) Se había roto una pierna.
   (D) Se había desmayado.

2. ¿Qué siente el padre por su hijo?
   (A) Desprecio
   (B) Tristeza
   (C) Compasión
   (D) Cariño

3. ¿Qué decidió hacer el padre?
   (A) Llevarlo a que lo curen
   (B) Dejarlo tirado en el camino
   (C) Donar sangre para la operación
   (D) Escuchar para ver si oía algo

4. El autor describe al hijo como
   (A) el asesino de su propio padrino.
   (B) una persona muy llena de ánimo.
   (C) un joven amante de la naturaleza.
   (D) el causante de la muerte de su madre.

5. El padre quiere que su hijo
   (A) consiga un trabajo en Tonaya.
   (B) recuerde a su difunta madre.
   (C) se quede a vivir con él.
   (D) se vaya lejos de él.

6. Según el tono de la selección, podemos concluir que el padre era...
   (A) huérfano.
   (B) viudo.
   (C) divorciado.
   (D) romántico.

7. ¿Dónde se podría poner la siguiente frase al texto? "**El que lo bautizó a usted...**"
   (A) Posición A (línea 5)
   (B) Posición B (línea 9)
   (C) Posición C (línea 12)
   (D) Posición D (línea 15)

Exercise 6

Fragmento del cuento corto La siesta del martes en Los funerales de la Mamá Grande por Gabriel García Márquez.

La siesta del martes

La mujer movió la cabeza en silencio. El sacerdote pasó del otro lado de la baranda, extrajo del armario un cuaderno forrado de hule, un plumero de palo y un tintero, y se sentó a la mesa. El pelo que le faltaba en la cabeza le sobraba en las manos.

—¿Qué tumba van a visitar?—preguntó.

(5) —La de Carlos Centeno, dijo la mujer.

—¿Quién?

—Carlos Centeno—repitió la mujer.

El padre siguió sin entender.

—Es el ladrón que mataron aquí la semana pasada, dijo la mujer en el mismo tono.—Yo soy

(10) su madre.

El sacerdote la escrutó. Ella lo miró fijamente, con un dominio reposado, y el padre se ruborizó. Bajó la cabeza para escribir. A medida que llenaba la hoja pedía a la mujer los datos de su identidad, y ella respondía sin vacilación, con detalles precisos, como si estuviera leyendo.

(15) Todo había empezado el lunes de la semana anterior, a las tres de la madrugada y a pocas cuadras de allí. La señora Rebeca, una viuda solitaria que vivía en una casa llena de cachivaches, sintió a través del rumor de la llovizna que alguien trataba de forzar desde afuera la puerta de la calle. Se levantó, buscó a tientas en el ropero un revólver arcaico que nadie había disparado desde los tiempos del coronel Aureliano Buendía,

(20) y fue a la sala sin encender las luces. Orientándose no tanto por el ruido en la cerradura como por un terror desarrollado en ella por 28 años de soledad, localizó en la imaginación no sólo el sitio donde estaba la puerta sino la altura exacta de la cerradura. Agarró el arma con las dos manos, cerró los ojos y apretó el gatillo. Era la primera vez en su vida que disparaba un revólver. Después percibió un golpecito metálico en el

(25) andén de cemento y una voz muy baja, apacible, pero terriblemente fatigada:"Ay, mi madre". El hombre que amaneció muerto frente a la casa, con la nariz despedazada, vestía una franela a rayas de colores, un pantalón ordinario con una soga en lugar del cinturón, y estaba descalzo. Nadie lo conocía en el pueblo.

—De manera que se llamaba Carlos Centeno, murmuró el padre cuando acabó de escribir.

(30) —Centeno Ayala, dijo la mujer. — Era el único varón.

El sacerdote volvió al armario. Colgadas de un clavo en el interior de la puerta había dos llaves grandes y oxidadas. Las descolgó, las puso en el cuaderno abierto sobre la baranda y mostró con el índice un lugar en la página escrita, mirando a la mujer.

Firme aquí.

(35) La mujer garabateó su nombre, sosteniendo la cartera bajo la axila. La niña recogió las flores.

El Párroco suspiró.

—¿Nunca trató de hacerlo entrar por el buen camino?

La mujer contestó cuando acabó de firmar.

—Era un hombre muy bueno.

(40) El sacerdote miró alternativamente a la mujer y a la niña y comprobó con una especie de piadoso estupor que no estaban a punto de llorar. La mujer continuó inalterable: Yo le decía que nunca robara nada que le hiciera falta a alguien para comer, y él hacía caso. En cambio, antes, cuando boxeaba, pasaba hasta tres días en la cama postrado por los golpes.

1. ¿Qué piensan hacer la señora y la niña?
   (A) Asistir a misa
   (B) Ayudar al sacerdote
   (C) Llevar flores al cementerio
   (D) Visitar la casa de Rebeca

2. De acuerdo con el narrador, el sacerdote era
   (A) mezquino.
   (B) duro.
   (C) calvo.
   (D) justo.

3. ¿Por qué murió el hijo de la señora?
   (A) Asesinó a una persona.
   (B) Entró a robar una casa.
   (C) Tuvo un accidente automovilístico.
   (D) Lo asaltaron en la calle.

4. ¿Qué hizo la señora Rebeca cuando oyó un ruido en la puerta?
   (A) Fue a abrirla.
   (B) Buscó un arma.
   (C) Llamó a la policía.
   (D) Empezó a gritar.

5. ¿Qué trabajo había hecho Carlos Centeno?
   (A) Era albañil.
   (B) Era camionero.
   (C) Era boxeador.
   (D) Era cura.

6. Por lo que dice el narrador, la madre
   (A) conocía muy bien al asesino de su hijo.
   (B) siempre estaba al lado de su hijo.
   (C) había aconsejado bien a su hijo.
   (D) tenía una mala relación con su hijo.

7. Después de leer esta selección, ¿qué sabemos de la casa de Rebeca?
   (A) Era vieja.
   (B) Era moderna.
   (C) Era enorme.
   (D) Era pequeña.

Exercise 7

Fragmento del cuento corto *Espuma y nada más* por Hernando Téllez.

Espuma y nada más

Mejor no pensarlo. Torres no sabía que yo era su enemigo. No sabía él ni lo sabían los demás. Se trataba de un secreto entre muy pocos, precisamente para que yo pudiese informar a los revolucionarios de lo que Torres estaba haciendo en el pueblo y de lo que proyectaba hacer cada vez que emprendía una excursión para cazar revolucionarios. [A] Iba

(5) a ser, pues, muy difícil explicar que yo lo tuve entre mis manos y lo dejé ir tranquilamente, vivo y afeitado.

La barba le había desaparecido casi completamente. Parecía más joven, con menos años de los que llevaba a cuestas cuando entró. Yo supongo que eso ocurre siempre con los hombres que entran y salen de las peluquerías. Bajo el golpe de mi navaja Torres

(10) rejuvenecía, sí, porque yo soy un buen barbero, el mejor de este pueblo, lo digo sin vanidad. Un poco más de jabón, aquí, bajo la barbilla, sobre la manzana, sobre esta gran vena. ¡Qué calor! Torres debe estar sudando como yo. Pero él no tiene miedo. Es un hombre sereno que ni siquiera piensa en lo que ha de hacer esta tarde con los prisioneros.

(15) En cambio yo, con esa navaja entre las manos, puliendo y puliendo esta piel, evitando que brote sangre de estos poros, cuidando todo golpe, no puedo pensar serenamente. Maldita la hora en que vino, porque yo soy un revolucionario pero no soy un asesino. [B] Y lo merece. ¿Lo merece? No, ¡qué diablos! Nadie merece que los demás hagan el sacrificio de convertirse en asesinos. ¿Qué se gana con ello? Pues nada. Vienen otros y

(20) otros y los primeros matan a los segundos y éstos a los terceros y siguen y siguen hasta que todo es un mar de sangre. Yo podría cortar el cuello, así, ¡zas!

No le daría tiempo de quejarse y como tiene los ojos cerrados no vería ni el brillo de la navaja ni el brillo de mis ojos. Pero estoy temblando como un verdadero asesino. [C] De ese cuello brotaría un chorro de sangre sobre la sábana, sobre la silla, sobre mis

(25) manos, sobre el suelo. Tendría que cerrar la puerta. Y la sangre seguiría corriendo por el piso, tibia, imborrable, incontenible, hasta la calle, como un pequeño arroyo escarlata. Estoy seguro de que un golpe fuerte, una honda incisión, le evitaría todo dolor. No sufriría. ¿Y qué hacer con el cuerpo? ¿Dónde ocultarlo? Yo tendría que huir, dejar estas cosas, refugiarme lejos, bien lejos. Pero me perseguirían hasta dar conmigo. "El asesino del capitán Torres. Lo degolló mientras le afeitaba la barba. Una cobardía." Y

(30) por otro lado: "El vengador de los nuestros. Un hombre para recordar (aquí mi nombre). Era el barbero del pueblo. Nadie sabía que él defendía nuestra causa…"¿Y qué? ¿Asesino o héroe? Del filo de esta navaja depende mi destino. Pero yo no quiero ser un asesino, no señor.

Usted vino para que yo lo afeitara. [D] Y yo cumplo honradamente con mi trabajo. No

(35) quiero mancharme de sangre. De espuma y nada más. Usted es un verdugo y yo no soy más que un barbero. Y cada cual en su puesto. Eso es. Cada cual en su puesto.

1. ¿Qué actitud tiene el barbero acerca de su trabajo?
   (A) Que no paga bien
   (B) Que él es el mejor
   (C) Que necesita un cambio
   (D) Que es muy aburrido

2. ¿Por qué no mató el barbero al Capitán Torres?
   (A) Porque no quería mancharse de sangre.
   (B) Tenía miedo de ir a la cárcel.
   (C) No sabía adónde huir de la ley.
   (D) Era un hombre muy religioso.

3. ¿Cuál es el conflicto que existe en el cuento?
   (A) El barbero tiene que decidir la acción que tomará.
   (B) El barbero se siente muy orgulloso de su oficio.
   (C) El Capitán Torres es un cruel cazador de revolucionarios.
   (D) El Capitán Torres sabe que el barbero es su enemigo.

4. ¿Qué relación existía entre el barbero y Torres?
   (A) Habían sido compañeros de escuela.
   (B) Habían trabajado juntos.
   (C) Eran enemigos políticos.
   (D) Se conocían desde pequeños.

5. El narrador nos dice que el barbero también era
   (A) el informante de los revolucionarios.
   (B) cuñado del Capitán Torres.
   (C) abogado muy conocido en el pueblo.
   (D) héroe del ejército nacional.

6. Según el barbero, ¿cómo se veía el Capitán Torres mientras desaparecía la barba?
   (A) Grueso
   (B) Joven
   (C) Enfermo
   (D) Pálido

7. ¿Dónde sería mejor poner la siguiente oración? "**Y tan fácil como resultaría matarlo...**"
   (A) Posición A (línea 4)
   (B) Posición B (línea 18)
   (C) Posición C (línea 23)
   (D) Posición D (línea 34)

Exercise 8

Fragmento del cuento *Emma Zunz* en *El Aleph* de *Obras Completas* por Jorge Luis Borges.

Emma Zunz

La vio empujar la verja (que él había entornado a propósito) y cruzar el patio sombrío. La vio hacer un pequeño rodeo cuando el perro atado ladró. [A] Los labios de Emma se atareaban como los de quien reza en voz baja; cansados, repetían la sentencia que el señor Loewenthal oiría antes de morir.

(5) Las cosas no ocurrieron como había previsto Emma Zunz. Desde la madrugada anterior, ella se había soñado muchas veces, dirigiendo el firme revólver, forzando al miserable a confesar la miserable culpa y exponiendo la intrépida estratagema que permitiría a la Justicia de Dios triunfar de la justicia humana. (No por temor sino por ser un instrumento de la justicia, ella no quería ser castigada.) Luego, un solo balazo en mitad
(10) del pecho rubricaría la suerte de Loewenthal. [B] Pero las cosas no ocurrieron así.

Sentada, tímida, pidió excusas a Loewenthal, invocó las obligaciones de la lealtad, pronunció algunos nombres, dio a entender otros y se cortó como si la venciera el temor. Logró que Loewenthal saliera a buscar una copa de agua. Cuando éste, incrédulo de tales aspavientos, pero indulgente, volvió del comedor, Emma ya había sacado del cajón
(15) el pesado revólver. [C] El considerable cuerpo se desplomó como si los estampidos y el humo lo hubieran roto, el vaso de agua se rompió, la cara la miró con asombro y cólera, la boca de la cara la injurió en español y en Idisch. Las malas palabras no cejaban; Emma tuvo que hacer fuego otra vez. Emma inició la acusación que tenía preparada ("He vengado a mi padre y no me podrán castigar…"), pero no la acabó, porque el señor
(20) Loewenthal ya había muerto. [D] No supo nunca si alcanzó a comprender.

Los ladridos tirantes le recordaron que no podía, aún, descansar. Desordenó el diván, desabrochó el saco del cadáver, le quitó los quevedos salpicados y los dejó sobre el fichero. Luego tomó el teléfono y repitió lo que tantas veces repetiría, con ésas y con otras palabras: ha ocurrido una cosa que es increíble… El señor Loewenthal me hizo
(25) venir con el pretexto de la huelga… Abusó de mí, lo maté.

1. Según el narrador, la muerte del señor Loewenthal había sido
   (A) de repente.
   (B) premeditada.
   (C) esperada.
   (D) anunciada.

2. Emma mató al señor Loewenthal porque
   (A) él le había robado una suma de dinero.
   (B) él le había hecho daño a su padre.
   (C) él había provocado una huelga.
   (D) él la había atacado con un perro feroz.

3. Se podría describir a Emma como una mujer
   (A) determinada.
   (B) tímida.
   (C) sumisa.
   (D) misteriosa.

4. Al final de la selección, ¿qué hizo Emma?
   (A) Salió corriendo de la escena del crimen.
   (B) Se desplomó al piso del susto.
   (C) Hizo una llamada telefónica.
   (D) Trató de esconder el cadáver.

5. ¿Qué excusa usó Emma para matar al señor Loewenthal?

   (A) Él había abusado físicamente de ella.

   (B) Él la había acusado de ladrona.

   (C) Él la había ofendido con malas palabras.

   (D) Él la había amenazado con un revólver.

6. Al principio de la selección, ¿cómo se dio cuenta el Señor Loewenthal de quién venía a visitarlo?

   (A) Emma lo llamó para hacer una cita.

   (B) Su perro empezó a ladrar.

   (C) Recibió una llamada de su secretaria.

   (D) Miró por un espejo de la puerta.

7. ¿Dónde serviría mejor la siguiente oración? **"Apretó el gatillo dos veces".**

   (A) Posición A (línea 2)

   (B) Posición B (línea 10)

   (C) Posición C (línea 15)

   (D) Posición D (línea 20)

Exercise 9

Este artículo apareció en *Palencia Plano-Guía* por Junta de Castilla y León en 2006.

Palencia Plano-Guía

Situada en medio de una de las inmensas llanuras que componen la Tierra de Campos, Palencia ha extendido su solar sobre lo que fuera un asentamiento de la tribu vaccea, luego conquistado por los romanos en el siglo II a.C. En el siglo XI comenzó su desarrollo urbano a partir de la catedral. Ya a fines del XIV, cuando se convirtió en un símbolo por

(5) la resistencia de las mujeres palentinas al asedio del Duque de Lancaster, era un importante foco de industria pañera, actividad productiva que la ha caracterizado hasta hoy. La discreta cantidad de monumentos de interés artístico que contiene está equilibrada por la calidad de los mismos y por su excelente estado de conservación. Desde que comenzó el presente siglo Palencia registra un crecimiento pausado pero constante, como corresponde

(10) a una ciudad enclavada estratégicamente en las vías de comunicación terrestres y ferroviarias de Norte a Sur de España y del continente europeo, lo que desembocó en su elección para albergar una planta de fabricación de automóviles y el polo industrial que lleva consigo.

1. ¿Para qué fue escrita esta selección?
   (A) Una empresa de automóviles
   (B) Un folleto turístico
   (C) Un libro de geografía
   (D) Un libro de historia

2. ¿Qué hicieron las mujeres de Palencia a fines del siglo XIV?
   (A) Defendieron la ciudad.
   (B) Hicieron pañales.
   (C) Hicieron construir monumentos artísticos.
   (D) Honraron al Duque de Lancaster en la catedral.

3. Según la selección, ¿por qué está ubicada Palencia estratégicamente?
   (A) Tiene una catedral antigua.
   (B) Hay una empresa de automóviles.
   (C) La conquistaron los romanos.
   (D) Tiene carreteras y trenes nacionales que pasan por la ciudad.

4. Según la selección, ¿cómo se caracteriza el crecimiento de Palencia en el siglo XXI?
   (A) Lento y sin interrupción
   (B) No hubo mucho crecimiento
   (C) Rápido y extensivo
   (D) La selección no se refiere al crecimiento en el siglo XXI.

5. ¿Cómo se caracterizan los monumentos históricos?
   (A) Están en peligro de desintegrarse.
   (B) Están en ruinas.
   (C) Están restaurados o conservados.
   (D) La selección no se refiere a los monumentos.

Exercise 10

Este artículo apareció en línea en *BBC Mundo* el 20 de octubre de 2006.

Juanes: Música y alma

Juan Esteban Aristizábal, colombiano de Medellín, es conocido en el mundo con el simple apelativo de Juanes.

Este cantante se ha transformado en los últimos años en un verdadero fenómeno musical, obteniendo éxitos internacionales que le han valido (entre otros importantes
(5)   premios) nueve Grammys Latinos y le han permitido vender en sólo tres años más de tres millones de discos.

Carismático y dotado de una particular sensibilidad, Juanes se ha transformado en portavoz de numerosas batallas sociales entre las cuales está la lucha por la eliminación de las minas antipersonales que flagelan los campos de su Colombia natal y que sólo en el
(10) año 2005 han causado más de mil víctimas.

Cada visita de este cantautor a Italia es un acontecimiento. [A] No ya por la expectativa natural que despierta dentro de la enorme colonia latinoamericana que reside en este país, sino porque su éxito internacional "La camisa negra" había levantado una inesperada polvareda cuando comenzó a escucharse en las discotecas italianas.

(15) Es que "Camicie Nere" (Camisas negras) era la denominación con la que se conocían a las escuadrillas más violentas del régimen fascista.

Una caprichosa asociación de nombres, y el resurgir en los últimos tiempos de numerosos grupos neofascistas, generaron el extraño fenómeno de que al resonar de las primeras notas musicales del éxito de Juanes, muchos de los asistentes levantaban el brazo derecho haciendo el inconfundible "aludo romano", uno de los símbolos más
(20) perdurables del régimen que encarnó Benito Mussolini.

En la última visita de Juanes a Italia para presentarse en el "Festival Latinoamericano", que todos los años reúne a más de un millón de personas en Milán, tuvimos la oportunidad de encontrarlo y entre otras tantas cosas hablamos también de esta curiosa interpretación que se le ha dado a su canción:

(25) "Cuando me enteré, verdaderamente no lo podía creer. [B] ¡Qué coincidencia lingüística tan violenta y difícil! En el momento no me preocupé, aunque si no podía entender cómo se le daba esa lectura. Pero creo que al final la gente sabe que no es así. 'La camisa negra' es una canción completamente burlesca y de fiesta. Y la camisa es negra porque tengo el alma de luto".

(30) Relajado, amable, con sincera disponibilidad, Juanes sorprendió al público italiano que quedó un poco desconcertado al verlo con un aspecto completamente diferente al habitual: unos cabellos cortísimos que desataron evidente curiosidad. [C] Periodistas de medios locales le preguntaron por el cambio:

(35)   "Yo creo que de alguna forma se puede renovar la energía, en este caso luego de tener el cabello largo por tantos años, habérmelo cortado implica un nuevo ciclo que comienza con energía renovada; aunque el alma y el corazón siguen igualitos. La esencia está intacta, sólo se trata de un corte de pelo".

Aunque la carrera de Juanes comenzó a la joven edad de quince años, en una banda de
(40)   rock metálico llamada Ekhymosis, el artista reconoce sus orígenes en la música popular: [D]"El problema de los campos minados, es muy duro. Son enemigos silenciosos que están debajo de la tierra. Colombia es un país que es agrícola por excelencia, pero los campesinos no pueden cultivar la tierra porque tienen miedo de pisar una mina y
(45)   perder sus piernas Viven aterrorizados completamente. Ellos al final no pueden vivir en el campo, tienen que abandonar sus tierras e irse a la ciudad, lo que crea una desestabilización social muy grande que acarrea desempleo, pobreza y criminalidad".

La actividad que Juanes desarrolla en el campo social, le ha sido reconocida a nivel internacional. Por ejemplo, en julio de este año le ha sido otorgado en Francia el título
(50)   de Caballero de la Orden de las Artes y de las Letras y ya en 2005 la revista TIME lo había incluido en su lista de las 100 personas más influyentes del planeta.

1. ¿Cuál es el problema social que Juanes lucha para resolver?
   (A) La presencia de los neofascistas en Italia y Colombia
   (B) Las minas que impiden la cultivación agrícola en Colombia
   (C) Las malas relaciones diplomáticas entre Colombia e Italia
   (D) La pobreza y la criminalidad que se encuentra en su país natal

2. ¿Por qué el título de una de las canciones de Juanes causó revuelo en Italia?
   (A) Era igual al del nombre de un grupo neofascista.
   (B) Ya existía una canción con ese título.
   (C) La canción contenía palabras que no podían usarse en Italia.
   (D) Las emisoras italianas de radio se rehusaban tocarla.

3. ¿Cómo reaccionó Juanes al enterarse de la polémica causada por su canción?
   (A) Quedó furioso.
   (B) Quedó agradecido.
   (C) Quedó sorprendido.
   (D) Quedó asustado.

4. ¿Qué cambio físico se pudo notar en Juanes?
   (A) Se afeitó la barba.
   (B) Se operó la nariz.
   (C) Se engordó bastante.
   (D) Se cortó el pelo.

5. Según este artículo, Juanes …
   (A) ha ganado más Grammys Latinos que cualquier otro cantante.
   (B) ha vendido alrededor de tres millones de discos en tres años.
   (C) ha estado cantando profesionalmente desde los cinco años.
   (D) ha escrito la mayoría de las canciones que canta.

6. Después de leer este artículo, ¿Cómo se podría describir a Juanes?

   (A) Antipático
   (B) Despreocupado
   (C) Caprichoso
   (D) Humanitario

7. ¿Cómo se caracteriza el tono de este artículo?

   (A) Informativo
   (B) Político
   (C) Persuasivo
   (D) Crítico

8. ¿Dónde sería mejor poner la siguiente oración? **"La misma pasión que Juanes manifiesta en su música, la pone al servicio de la búsqueda de soluciones para algunos de los graves problemas sociales que hoy afligen a su Colombia natal".**

   (A) Posición A, (línea 11)
   (B) Posición B, (línea 25)
   (C) Posición C, (línea 32)
   (D) Posición D, (línea 41)

Exercise 11

Fragmento del Easy Reader de EMC Publishing titulado, *"Don Quijote de la Mancha"* por miguel, de cervantes Saavedra.

De la segunda salida de don Quijote

Quince días estuvo don Quijote en casa muy sosegado. Sin embargo, en este tiempo solicitó a un labrador vecino suyo, hombre de bien, pero poco inteligente, que le sirviese de escudero. Tanto le dijo, tanto le prometió, que el pobre determinó seguirle.

(5) Decíale, entre otras cosas, don Quijote, que se dispusiese a ir con él de buena gana, porque tal vez le podía suceder alguna aventura en que ganase alguna ínsula y le dejase a él por gobernador de ella. Con estas promesas y otras tales, Sancho Panza, que así se llamaba el labrador, dejó a su mujer y a sus hijos y se fue como escudero de su vecino. Iba Sancho Panza sobre su asno con sus alforjas y su bota, con mucho deseo de verse gobernador de la ínsula que su amo le había prometido. Acertó don Quijote a tomar el
(10) mismo camino que había tomado en su primer viaje, por el campo de Montiel, y caminaba con menos pena que la vez pasada porque, por ser la hora de la mañana, los rayos del sol no le fatigaban.

—Has de saber, amigo Sancho Panza, que fue costumbre muy usada de los caballeros andantes antiguos hacer gobernadores a sus escuderos de las ínsulas o reinos que
(15) ganaban, y yo tengo determinado de que por mí no falte tan agradecida costumbre; antes pienso llevar ventaja en ella: porque ellos, algunas veces, esperaban a que sus escuderos fuesen viejos para darles algún título de conde de algún valle; pero, si tú vives y yo vivo, bien podría ser que antes de seis días ganase yo tal reino, que tuviese otros a él unidos, para coronarte rey de uno de ellos.

(20) En esto, descubrieron treinta o cuarenta molinos de viento que hay en aquel campo, y así como don Quijote los vio, dijo a su escudero:

—La suerte va guiando nuestras cosas mejor de lo que acertáramos a desear; porque ves allí, amigo Sancho Panza, donde se descubren treinta, o pocos más, gigantes con quienes pienso hacer batalla y quitarles a todos las vidas, con cuyos despojos
(25) comenzaremos a ser ricos; que ésta es buena guerra, y es gran servicio de Dios quitar tan mala gente de sobre la tierra.

—¿Qué gigantes? —dijo Sancho Panza.

—Aquellos que ves allí —respondió su amo— de los brazos largos, que los suelen tener algunos de casi dos leguas.

(30) —Mire vuestra merced —respondió Sancho— que aquellos no son gigantes, sino molinos de viento, y lo que en ellos parecen brazos son las aspas, que movidas por el viento, hacen andar la piedra del molino.

—Bien parece —respondió don Quijote— que no estás ejercitado en esto de las aventuras: ellos son gigantes; y si tienes miedo, quítate de ahí, y ponte en oración mientras yo voy
(35) a entrar con ellos en terrible y desigual batalla.

Y diciendo esto, dio de espuelas a su caballo Rocinante, sin atender a las voces que su escudero Sancho le daba, advirtiéndole que, sin duda alguna, eran molinos de viento, y no gigantes, aquellos que iba a acometer. Pero él iba tan convencido de que eran gigantes que ni oía las voces:

(40)   —No huyáis, cobardes y viles criaturas; que un solo caballero es el que os acomete.

Levantóse en esto un poco de viento, y las grandes aspas comenzaron a moverse; visto lo cual por don Quijote, dijo:

—Pues aunque mováis más brazos que los del gigante Briareo, me lo habéis de pagar.

Y diciendo esto, y encomendándose de todo corazón a su señora Dulcinea, pidiéndole
(45)   que en tal aventura le socorriese, bien cubierto con su rodela, arremetió con la lanza a todo correr de Rocinante y se lanzó contra el primer molino que estaba delante, dándole una lanzada en el aspa. La volvió el viento con tanta fuerza que hizo la lanza pedazos, llevándose tras sí al caballo y al caballero, que fue rodando por el campo. Acudió Sancho Panza a socorrerle a todo el correr de su asno, y cuando llegó le halló que no se
(50)   podía mover: tal fue el golpe que dio con él Rocinante.

—¡Válgame Dios! —dijo Sancho.

1. ¿Quién es Sancho Panza?
    (A) El gobernador de Montiel
    (B) El dueño de un castillo
    (C) Un vecino de don Quijote
    (D) Un gigante del valle

2. ¿Qué le promete don Quijote a Sancho Panza?
    (A) Le promete ser conde de un valle
    (B) Le promete ser reunido con su familia
    (C) Le promete ser el caballero andante
    (D) Le promete ser gobernador de una ínsula.

3. ¿En qué va montado Sancho Panza?
    (A) Un caballo
    (B) Un toro
    (C) Un asno
    (D) Un camello

4. ¿Qué son en realidad los gigantes que ve don Quijote?
    (A) Animales
    (B) Escuderos
    (C) Molinos de vento
    (D) Vecinos

5. ¿Qué piensa don Quijote que son las aspas de los molinos?
    (A) Caballos y asnos
    (B) El reflejo de los árboles
    (C) Los brazos de Sancho Panza
    (D) Los brazos de los gigantes

6. ¿Qué hace don Quijote con el primer molino?
    (A) Se lanza contra él.
    (B) Le habla
    (C) Lo destruye
    (D) Lo observa cuidadosamente

Exercise 12

Este informe apareció en *El periódico de Catalunya* el 8 de abril de 2006.

La vida a los pies del Vesubio

En estos primeros días de abril, hace ahora 100 años, se produjo una de las erupciones más violentas del Vesubio. Desde Nápoles, que sólo está a una docena de kilómetros de la montaña, el Vesubio se alza con un aire decorativo y pacífico, pero dicen que es el último volcán del continente europeo que todavía se muestra vivo. [A] En 1944 lo
(5) demostró, pero no hizo tantos destrozos como en 1906. Pese a que hace ahora 100 años las columnas de fuego eran muy altas, la corriente de lava tenía 200 metros de ancho y se registraron más de 100 muertos.

Nada que ver, sin embargo, con la erupción más famosa de todas, la que en el año 79 enterró la ciudad de Pompeya bajo seis o siete metros de cenizas y piedras arrojadas
(10) por el volcán. [B] La paradoja era ésta: el Vesubio podía seguir convirtiendo edificios en escombros, pero tenía que respetar las ruinas que él mismo había provocado casi 20 siglos atrás.

Porque la Pompeya que sepultó el volcán en ese remotísimo año 79 es ahora, desenterrada y limpia, uno de los testimonios más completos de la vida romana. [C] Pasear por
(15) Pompeya constituye una aproximación a los diversos escenarios donde se había registrado una vida intensa: los templos, el teatro, las termas, pero sobre todo los lugares comerciales y las casas donde vivían los poderosos. [D] Las inscripciones, las pinturas de las paredes — que siglos después imitaban bastantes palacios y casas señoriales europeas, en un estilo que se llamó pompeyano—, las puertas por las que había pasado una gente
(20) que no se imaginaba la tragedia.

Una gente feliz como la que ahora visita las ruinas. Turistas, sí. Pero en la Pompeya que fue destruida también había forasteros: los romanos ricos tenían allí una casa de veraneo. La ladera del Vesubio era, igual que ahora, un espléndido paisaje cerca del mar.

1. Según la selección, ¿qué aspecto tiene el volcán desde Nápoles?
   (A) Misterioso
   (B) Destructivo
   (C) Feo
   (D) Amenazante

2. ¿Cuándo fue la última erupción del Vesubio?
   (A) 1906
   (B) 1944
   (C) 79 D.C.
   (D) Hace 20 años.

3. ¿Cómo se encuentra Pompeya hoy en día?
   (A) Está enterrada en escombros.
   (B) Es como cualquier otra ciudad italiana.
   (C) Se destaca por su centro de comercio.
   (D) Es representativa de la sociedad romana.

4. ¿Qué es el estilo pompeyano?
   (A) Un diseño urbano
   (B) Un motivo arquitectónico
   (C) El estilo de vida de los romanos
   (D) El estilo de vida de los ricos

5. Según la selección, ¿qué tienen en común los que vivían en Pompeya en 79 y los que la visitan hoy?

(A) Son italianos.
(B) Son víctimas del volcán.
(C) No son de la zona.
(D) Son ricos.

6. Según el artículo, se puede deducir que

(A) puede haber otra erupción en cualquier momento.
(B) los habitantes de Nápoles tienen miedo de una erupción.
(C) se encontrarán más artefactos romanos.
(D) los romanos anticipaban la erupción del 79.

7. ¿Dónde serviría mejor la oración? **"Yo he estado en Nápoles y visité Pompeya cuando se cumplían 20 años desde el último despertar del volcán".**

(A) Posición A (línea 4)
(B) Posición B (línea 10)
(C) Posición C (línea 14)
(D) Posición D (línea 17)

Exercise 13

La entrevista con Jared Diamond por Carlos Fresneda apareció en el periódico *El Mundo* el 8 de abril de 2006.

Los desastres ecológicos provocados por el hombre siempre han causado la destrucción de las civilizaciones

Llegamos a tiempo para la clase del viejo y energético profesor. Como si fuéramos estudiantes de geografía en el campus de UCLA, abrimos con sigilo el aula A-163 y caemos atrapados en la cadencia de tenor de Jared Diamond, mientras explica los efectos de "la Coca-Colonización del tercer mundo". Nos trasladamos mentalmente a la isla
(5) de Nauru, en la Micronesia, y comprobamos cómo el estilo de vida occidental ha causado una epidemia de obesidad y de diabetes.

Las clases del profesor Diamond son una apasionante inmersión en la Geografía, la Historia, la Biología, la Antropología y el Medio Ambiente, al igual que sus libros, con un pie en las lecciones del pasado y otro en las palpitaciones del presente.
(10) Galardonado con el Pulitzer por *Armas, gérmenes y acero*, su última obra, *Colapso*, (editorial Debate) es un viaje al mundo de las civilizaciones perdidas y a las razones —casi siempre ecológicas— que precipitaron su caída.

Camino de su despacho, una inmensa foto aérea de Los Ángeles nos recuerda dónde estamos, pero una vez allí Diamond prefiere evadirse y volar con sus amados pájaros
(15) de Nueva Guinea, el hilo de conexión con esa naturaleza en peligro que tan bien conoce.

PREGUNTA.– Le acusan de apocalíptico, catastrofista e instigador del miedo…

RESPUESTA.– Bueno, me han criticado desde la derecha y desde el ecologismo radical, lo cual es bueno, pues me hace sentir que de alguna manera estoy *centrado*. ¿Que si soy un *instigador del miedo*? En absoluto. Me limito a extraer las lecciones de la Historia
(20) y a apuntar los peligros que están emergiendo. Pero nunca exagero. Además, en *Colapso* no sólo hablo de la Isla de Pascua, las ciudades de los mayas y otras civilizaciones fallidas; también hay ejemplos de sociedades que supieron afrontar a tiempo los retos y salieron a flote, como Japón e Islandia. En cuanto al momento en que vivimos, hay igualmente razones para el pesimismo y para el optimismo…

(25) P.– Empecemos, si le parece, por el optimismo…

R.– Hoy por hoy sabemos que los grandes problemas ambientales están causados por la acción humana, desde la sobrepoblación a la erosión del suelo, la sobreexplotación de los recursos, la emisión de gases a la atmósfera o la plaga de productos químicos. Y si algo bueno tiene la globalización es, precisamente, este flujo de información que impide
(30) que la sociedad se pueda colapsar en total aislamiento. Por primera vez podemos aprender rápidamente de los errores —y de los aciertos— de sociedades lejanas en el espacio y en el tiempo. La buena noticia es ésta: la habilidad para solucionar los graves problemas ambientales que hemos creado está en nuestras manos.

P.– ¿Qué importancia jugó el factor ambiental en el fiasco de las sociedades polinesias o
(35) de la civilización maya?

R.– Los desastres ecológicos causados por el hombre han estado detrás de los colapsos, pero casi siempre asociados a otros factores, como el cambio climático, la existencia de enemigos o la alteración en los intercambios comerciales con otras sociedades. El quinto factor, también decisivo, es la capacidad de reacción política, económica y social a

(40)   los cambios… Uno de los casos más patentes de la falta de adaptación fue el de los reyes mayas, tan aislados de los problemas reales de su sociedad que no vieron venir el colapso. Hoy podemos subirnos de las pirámides a Chichén Itzá y no ver más que selva alrededor. Nos cuesta comprender que la deforestación, la erosión del suelo, la sequía y los problemas de agua llevaron a la sociedad a una situación límite, y hubo seguramente

(45)   guerras por el control de los recursos, y el 90% de la población desapreció, y abandonaron las ciudades que con el tiempo serían devoradas por la jungla.

1. ¿Qué quiere decir "la Coca-Colonización del tercer mundo"?
   (A) Los productos norteamericanos han llegado a todas partes del mundo.
   (B) La invasión cultural del primer mundo ha traído consecuencias negativas.
   (C) Las empresas multinacionales han establecido fábricas en los países más pobres.
   (D) Hay mucho comercio entre el primer y el tercer mundo.

2. ¿Cuál es la lección que Diamond presenta en *Colapso*?
   (A) Algunos países modernos han reconocido los peligros y evitado las consecuencias de sociedades antiguas.
   (B) Las razones por las caídas de la Isla de Pascua y la civilización maya son las mismas que amenazan a Japón e Islandia.
   (C) Hay mucha razón por el pesimismo en el mundo.
   (D) Hay peligros emergiendo en Japón e Islandia.

3. ¿Por qué cree Diamond que hay optimismo en cuanto a los problemas de los cuales habla?
   (A) Los problemas ecológicos siempre se resuelven.
   (B) Los gobiernos del primer mundo están trabajando constantemente para resolverlos.
   (C) Los problemas ecológicos son naturales y cíclicos.
   (D) Las sociedades de hoy son capaces de evitar los problemas del pasado.

4. ¿Qué factor NO menciona Diamond en el fracaso de las sociedades antiguas?
   (A) La conquista por otras sociedades
   (B) Los problemas con el medio ambiente de parte de los seres humanos
   (C) El cambio de negocios con otras sociedades
   (D) La falta de poder adaptarse a los cambios que afectan a la sociedad

5. ¿Cuál es el mensaje central de Diamond en esta entrevista?
   (A) El futuro de nuestra sociedad está prevista según el colapso de las culturas antiguas.
   (B) Se puede aprender las lecciones de las sociedades antiguas para evitar los mismos problemas.
   (C) El primer mundo está causando la caída del tercer mundo.
   (D) Todos los países del mundo tendrán el mismo destino.

6. ¿Por qué será que el autor escribe este artículo en el presente?
   (A) Sigue asistiendo a la clase como rutina diaria.
   (B) Quiere fomentar el sentido del momento actual e incluir al lector.
   (C) Escribe directamente de sus apuntes.
   (D) Quiere expresar la urgencia del mensaje de Diamond.

7. ¿Qué tiene Diamond que es representativo del peligro de la naturaleza?
   (A) El premio Pulitzer
   (B) Fotos de Los Ángeles
   (C) Libros de estudios famosos
   (D) Unos pájaros

Exercise 14

Este artículo por Fr. Víctor Ml. Mora Mesén apareció en el periódico costarricense *La Nación* el 5 de junio de 2006.

La búsqueda de la libertad: El hecho de olvidar el compromiso con quienes nos rodean es vivir en la esclavitud

El valor de la libertad es, sin duda, uno de los más apreciados en la sociedad. Expresa la profundidad de los anhelos humanos y el deseo de romper con todo lo que nos mantiene en la esclavitud. Sería fácil para cualquiera señalar los ámbitos en los que se careció de ella en la historia: sin embargo, lo que significa en realidades concretas del
(5)   cotidiano no es tan sencillamente definible. [A] Está claro que tiene que ver con el desarrollo de las potencialidades humanas, en especial con la capacidad de tomar decisiones. Pero determinar en cuáles condiciones podemos hablar de auténtica libertad en nuestra existencia es muy polémico. Por esta indefinición, la palabra "libertad" se ha vuelto uno de los conceptos más usados con fines ideológicos destructivos.

(10)   En particular, nos interesa el carácter alienante de la proclama política o social de la libertad, que ocurre cuando se la separa de la ética o de la moral. Se sostiene con simpleza hoy que la persona libre podría elegir un determinado conjunto de valores sin mediar razonamiento colectivo, ya que está de moda la idea de que el ámbito privado es inviolable, sobre todo en las preferencias o gustos individuales. [B] Surge, entonces, la pregunta:
(15)   ¿Acaso no es válida la experiencia vivida por otros para construir los fundamentos de nuestra propia conciencia? Éste es el problema radical: se ha exacerbado tanto al individuo que parece que su experiencia de vida es un absoluto, más importante que lo que los demás sienten, piensan o desean. [C] No podemos negar que somos, en alguna manera, lo que la sociedad ha hecho de nosotros; pero no sólo porque hemos nacido en un
(20)   contexto social determinado, sino porque nuestra comprensión de las cosas depende del conjunto de significados que se ha ido formando en las relaciones interpersonales diarias.

Creadores y definidores. Nuestra capacidad de decisión y de comunicación nos hace parte activa en un intercambio dinámico, donde junto con los que nos rodean nos constituimos en creadores de ideas y definidores de valores. Eso implica que no nos
(25)   construimos como personas en la soledad de lo privado, porque nuestra conciencia es el lugar del encuentro con los demás. Es allí donde la libertad se une con la verdad, entendiendo ésta no en sentido intelectivo o conceptual, sino vital: lo que somos para y con los que convivimos. Sin embargo, con frecuencia esta relación entre libertad y verdad tiende a esquivarse porque nos desnuda, aunque sea esencial para que nuestro
(30)   discernimiento ético o moral pueda ser auténtico y responsable. [D] Si se obvian las relaciones humanas, se termina evadiendo la pregunta sobre la persona concreta, que será receptora de cualquier decisión asumida. O, lo que es peor, podemos caer en el facilismo de negar totalmente su importancia a la hora de definir las posibilidades de acción: ¿considerándola a priori como "no realidad" porque nos incomoda su existir?

(35)   La frase evangélica "la verdad os hará libres" (Jn 8,32) se ubica en esta línea de razonamiento. Lo único que puede garantizar la destrucción de la esclavitud es el discernimiento fundamentado en nuestra relación con los demás. No es una doctrina que preestablece lo que la libertad es, aquello que puede ofrecernos la posibilidad de crear una sociedad libre de coacciones, es el reconocimiento de nuestra capacidad de afectar

(40) a otros con las acciones que elegimos, la base auténtica para empezar a crear relaciones más fraternales y, por tanto, más llenas de libertad. Olvidarse del compromiso histórico que tenemos con las personas que nos rodean, significa optar por vivir en las cadenas de la esclavitud.

1. Según la selección, ¿qué papel tiene la sociedad en la personalidad del individuo?
   (A) Ninguno; no importa lo que los demás sientan, piensen o deseen.
   (B) Uno muy importante; los demás y la cultura contribuyen al carácter.
   (C) Es un factor controlable.
   (D) Sólo puede dañar el carácter.

2. Según la selección, ¿por qué no se desarrolla la personalidad independientemente?
   (A) El individuo siempre busca consejos.
   (B) Se enseñan los valores en la familia y en la escuela.
   (C) De niño, el ser humano suele imitar a los mayores.
   (D) La influencia de los demás se manifiesta en la conciencia.

3. ¿Por qué es importante la relación entre la libertad y la verdad?
   (A) Son dos conceptos intelectivos.
   (B) No puede existir la una sin la otra.
   (C) Sin ella uno no puede tomar decisiones éticas o morales.
   (D) Forman la conciencia del individuo.

4. ¿Por qué es importante nuestra relación con los demás?
   (A) Porque con nuestras acciones, podemos crear más libertad.
   (B) Uno no puede vivir a solas.
   (C) Para estar libre, uno tiene que llevarse bien con los demás.
   (D) Es muy importante la opinión de ellos.

5. ¿Cómo se puede caracterizar esta selección?
   (A) Informativa
   (B) Filosófica
   (C) Didáctica
   (D) Sarcástica

6. ¿Por qué dice el autor que la libertad ha llegado a ser un concepto usado "con fines ideológicos destructivos"?
   (A) La libertad es difícil de definir.
   (B) Muchas guerras se han luchado por la libertad.
   (C) Está separada de la ética y la moral.
   (D) La gente abusa de su capacidad de tomar decisiones.

7. ¿Dónde se podría añadir la siguiente oración al texto? "**Nada más falso, puesto que los otros tienen un papel muy importante en la constitución de nuestra persona**".
   (A) Posición A (línea 5)
   (B) Posición B (línea 14)
   (C) Posición C (línea 18)
   (D) Posición D (línea 30)

Section 2
Free Response

Writing

Unit 5 Paragraph Completion with Root Words

Introduction/Explanation:

In this unit, you will see a passage taken from a magazine, a newspaper article, a piece of literature or another source of written Spanish. The passage will have approximately ten blank spaces. On the right hand side of the passage you will be provided with written words in parentheses. These words can be verbs, adjectives, pronouns, or articles. You must write on the line after each number the correct form of the word in parentheses, based on the context provided by the entire passage. In order to receive credit, you must spell the word correctly and place accents where necessary.

Test-Taking Strategies for the Student:

1. Read the entire passage before you attempt to answer any of the questions.
2. Identify the tense in which the passage is narrated.
3. Determine who is the narrator in the passage (first person; third person).
4. Go back and try to fill in the blanks taking into consideration if the suggested word is an adjective, an adverb, a verb form, a noun or an article. Decide which word in the text is being modified by your answer, and be sure to make it agree. Look for important clues to help you with the correct answer.

DIRECTIONS: Read the following passage. Then write, on the line after each number, the form of the word in parenthesis needed to complete the passage correctly, logically and grammatically. In order to receive credit, you must spell and accent the word correctly. You may have to use more than one word in some cases, but you must use a form of the word given in parenthesis. Be sure to write the word on the line even if no change is needed. You have 7 minutes to read the passage and write your responses.

INSTRUCCIONES: Lee el pasaje siguiente. Luego escribe en la línea a continuación de cada número la forma de la palabra entre paréntesis que se necesita para completar el pasaje de manera lógica y correcta. Para recibir crédito, tienes que escribir y acentuar la palabra correctamente. Es posible que haga falta más de una palabra. En todo caso debes usar una forma de la palabra entre paréntesis. Es posible que la palabra sugerida no requiera cambio alguno. Escribe la palabra en la línea aun cuando no sea necesario ningún cambio. Tienes 7 minutos para leer el pasaje y escribir tus respuestas.

Exercise 1

Este artículo apareció en el periódico español *El País* el 26 de abril de 2006.

La gran autopista

(1) fusión de la concesionaria española de infraestructuras Abertis con Autostrade, el grupo italiano de las autopistas, demuestra en la práctica que las operaciones financieras pactadas entre directivos y ensayadas previamente durante años de colaboración (2) ejecutarse con (3) facilidad, sobre todo si se (4) con las hostiles, como es el caso de la OPA de Gas Natural sobre Endesa. La diferencia es aún más llamativa cuando se recuerda que La Caixa es accionista de Gas Natural y de Abertis, protagonistas de (5) operaciones.

La fusión entre iguales de Abertis y Autostrade (intercambio de acciones una por una, más 3,75 euros por acción como dividendo extraordinario para (6) accionistas de Autostrade) conforma un gigante empresarial con (7) capitalización de 25.000 millones de euros, unos ingresos de 10.000 (8), y más de 6.700 kilómetros de autopista en explotación. Es decir, la Abertis resultante —la fusión mantiene el nombre de la compañía española— (9) el grupo empresarial dominante en la construcción y explotación de autopistas en Europa, y quizá en (10) el mundo.

1. _____ (el)

2. _____ (soler)

3. _____ (insólito)

4. _____ (comparar)

5. _____ (ambos)

6. _____ (el)

7. _____ (uno)

8. _____ (millón)

9. _____ (ser)

10. _____ (todo)

Exercise 2

Este artículo apareció en el periódico español *El País* el 26 de abril de 2006.

Confesiones de un condenado

Después de la caída del muro de Berlín y de los cambios que le sucedieron, nadie creía que las "transiciones" de la Europa del Este _(1)_ durar tanto tiempo sin _(2)_ en verdaderas "transformaciones". Quizá habría que distinguir mejor los dos términos: la transición indica un camino incierto por recorrer, mientras que la transformación presenta resultados conseguidos. Ya en los primeros años de mi emigración _(3)_ el término "democradura" para definir el estatuto de _(4)_ países que se estaban liberando con dificultad del yugo soviético. La palabra se emplea a menudo en algunos de _(5)_ países.

Es fácil proclamar la democracia _(6)_ introducirla en los documentos programáticos o constitucionales. _(7)_ desde luego no basta para eliminar el legado de formas diferentes de presión o condicionamiento de los _(8)_ totalitarios. Casi en todas partes se ha creado un híbrido que tiene a la vez características de la dictadura y la democracia. Son aspectos _(9)_ que se contradicen en la forma y en el contenido, donde verdad y justicia no se pueden conjugar: el fenómeno da origen a todo tipo de crisis _(10)_ , y también de conflictos.

1. _____ (poder)

2. _____ (convertirse)

3. _____ (encontrar)

4. _____ (aquel)

5. _____ (este)

6. _____ (y)

7. _____ (este)

8. _____ (régimen)

9. _____ (variado)

10. _____ (diferente)

Exercise 3

Este artículo apareció en el periódico en línea de *ABC* el 29 de abril de 2006.

El mundo del toro despide a Manolo Camará

Manuel Flores Cubero "Manolo Camará", miembro de una gran dinastía de apoderados y uno de los mejores mentores del toreo contemporáneo, (1) ayer a los ochenta años en Marbella (Málaga), a causa de un infarto de miocardio, mientras (2) al golf, según informó a mundotoro su hijo José Flores. Se da la circunstancia de que Manolo Camará había encargado ayer que le (3) entradas para la corrida del día 1 de mayo en Sevilla, pues su intención era (4) el debut de Cayetano en la Maestranza, así como (5) actuación de José María Manzanares.

Camará (6) en Córdoba el 1 de diciembre de 1925, pero (7) a vivir a Sevilla tras contraer matrimonio con María Luisa Sánchez Dalp. Su apellido y el de su familia —fue hijo del grandioso José Flores González (Camará) y hermano del (8) taurino del mismo nombre— ha estado ligado a las grandes figuras del toreo, pues no en vano (9) durante diez temporadas la carrera de Paquirri, así como (10) de Emilio Oliva, Finito de Córdoba, Francisco Rivera Ordóñez, Morante de la Puebla y Fernando Cepeda.

1. _____ (morir)
2. _____ (jugar)
3. _____ (conseguir)
4. _____ (ver)
5. _____ (el)
6. _____ (nacer)
7. _____ (marcharse)
8. _____ (grande)
9. _____ (dirigir)
10. _____ (el)

Exercise 4

Este artículo fue escrito por la *Agencia EFE/londres* el 29 de abril de 2006.

El Nilo

El Nilo, el mayor de los ríos del mundo, es 66 millas (106,2 kilómetros) más largo de lo que se (1) hasta ahora, según el aventurero británico Neil McGregor, que lo (2) de punta a punta.

McGregor, de 44 años, que presentará (3) conclusiones de su viaje a la Real Sociedad Geográfica del Reino Unido, afirma, en declaraciones que publicó el diario *The Times*, (4) (5) fuente del Nilo en el bosque Nyungwe, en el norte de Ruanda.

Según sus mediciones, el Nilo tiene 4.198 millas (6.756 kilómetros), distancia recorrida por McGregor junto a dos compañeros de aventura, los (6) Cam McLeay y Garth McIntyre, en sendos botes inflables. "Somos las primeras personas que (7) todo el recorrido del Nilo", narró McGregor al periódico por teléfono vía satélite desde el lugar, y (8) : "Es un espectáculo extraordinario, que tal vez nadie vuelva a ver".

El explorador del siglo XIX John Hanning Speke (9) el primero que estableció el curso del Nilo desde el lago Victoria, pero los tres expedicionarios (10) ir más arriba y entrar en el mayor afluente del lago, el río Kagera.

1. _____ (creer)

2. _____ (recorrer)

3. _____ (el)

4. _____ (encontrar)

5. _____ (el)

6. _____ (neozelandés)

7. _____ (hacer)

8. _____ (agregar)

9. _____ (ser)

10. _____ (decidir)

Exercise 5

Fragmento basado en un artículo publicado en el periódico guatemalteco *La Hora* el 29 de abril de 2006.

Meter la cuchara

Evidentemente, para una buena receta de cocina es indispensable utilizar todos los productos que vamos a usar que (1) de lo mejor, porque con que uno nos falle, ya (2) receta no valdría la pena y si es un *soufflé* no subiría en el horno y no nos (3) en la mesa, quedaríamos muy mal. Por ello, mis amigos madrileños te recomiendan que (4) con amor, con dedicación, que te entregues a tu labor (5) la receta y no dudes, ni la cambies en absoluto.

Por eso estamos de total acuerdo con nuestro Director Óscar Clemente que la receta para que siga de Fiscal Florido, sería inepta e ineficaz. No vamos a discutir ni su honestidad, ni su inteligencia, aunque en esto (6) que un abogado tan hábil (7) dejar su precioso hotel de Atitlán, para pasarse a Fiscal. Su hotel, Casa Palopó, (8) diseñado con amor, con entrega, hasta el último detalle era y es (9) arte en su decoración.

Todos los que lo conocemos le agradecemos que hubiese dedicado tantos años de su vida a esta maravillosa residencia, que tanto da qué hablar de (10) en el extranjero y nos enorgullece.

1. _____ (ser)

2. _____ (ese)

3. _____ (servir)

4. _____ (guisar)

5. _____ (seguir)

6. _____ (dudar)

7. _____ (aceptar)

8. _____ (ser)

9. _____ (uno)

10. _____ (él)

Exercise 6

Fragmento basado en un artículo por Tomás Eloy Martínez, se publicó en el periódico argentino *La Nación* el 15 de abril de 2006.

El Fugitivo

El ocio forzoso de _(1)_ enfermedad inesperada me arrastró, hace pocas semanas, a releer *Los miserables*, la monumental novela de Víctor Hugo, que sigue _(2)_ una de _(3)_ mejores que _(4)_ jamás. El tema del inocente perseguido por un policía tenaz nunca ha sido tan bien contado como en esa *opus magna* degradada ahora a musical de Broadway.

Jean Valjean, el _(5)_ ladrón, y el inspector Javert, siguen apareciendo bajo miles de apariencias, a veces inesperadas, como sucede con Harry Potter y el Frodo de El señor de los anillos.

Ya iba por el último tercio de la novela cuando, como todas las mañanas, caminé hacia un café de Harvard Street, en Boston, para seguir leyendo en paz. La enorme pantalla de televisión sobre el mostrador está siempre apagada, pero _(6)_ día alguien _(7)_ el canal Nickelodeon, que pasa programas de los años 60. _(8)_ imágenes que aparecieron eran las de "El fugitive", la célebre y casi olvidada serie en la que _(9)_ dentista Richard Kimble, acusado del asesinato de la mujer que _(10)_ , trata desesperadamente de escapar del acoso del inspector Philip Gerard.

1. _____ (uno)

2. _____ (ser)

3. _____ (el)

4. _____ (leer)

5. _____ (bueno)

6. _____ (aquel)

7. _____ (conectar)

8. _____ (El)

9. _____ (el)

10. _____ (amar)

Exercise 7

Esta carta apareció en la revista *People en Español*.

Estimado/a suscriptor/a,

La revista PEOPLE EN ESPAÑOL está __(1)__ a cabo una encuesta muy importante entre un grupo exclusivo de nuestros suscriptores. Usted es uno de los suscriptores seleccionados y le invitamos a darnos su __(2)__ opinión acerca de la revista. __(3)__ enviado la encuesta a un grupo de lectores muy reducido y sus respuestas son muy importantes para __(4)__ precisión de este estudio.

La mayoría de las preguntas están __(5)__ con el ejemplar más reciente de PEOPLE EN ESPAÑOL, el cual debe de haber llegado a su hogar hace __(6)__ días. Además de la encuesta incluimos copias de la portada y el contenido para hacerle recordar este ejemplar. El completar la encuesta le __(7)__ sólo unos minutos.

Cuando __(8)__ de contestar las preguntas, por favor envíenos la encuesta en el sobre adjunto con franqueo postal __(9)__. Le agradecemos por concedernos un poco de su tiempo para darnos su sincera opinión.

Todas las respuestas son de carácter confidencial. __(10)__ se considera correcta ni incorrecta. Las mismas se utilizarán en conjunto con las de otros lectores y nunca serán publicadas. Gracias por su atención a este importante proyecto.

Atentamente,

Richard Pérez-Feria
Editor

1. _____ (llevar)

2. _____ (valioso)

3. _____ (haber)

4. _____ (el)

5. _____ (relacionado)

6. _____ (uno)

7. _____ (tomar)

8. _____ (terminar)

9. _____ (pagar)

10. _____ (ninguno)

Exercise 8

Fragmento basado en un artículo publicado en *El Nuevo Día* de Puerto Rico.

A tiempo Copa

Copa Airlines continúa __(1)__ sus servicios y cosechando los frutos de las excelentes ofertas que les brindan a sus clientes tras reportar un índice de puntualidad acumulado durante el 2005 del 92.2%, __(2)__ de factor de cumplimiento en sus vuelos de 99.6%.

Con __(3)__ logro reciente, la aerolínea se posiciona entre __(4)__ mejores en la industria a nivel mundial. Copa Airlines mide su puntualidad analizando las llegadas a tiempo mediante los estándares __(5)__ para la industria de la aviación en todo el mundo.

Pedro Heilbron, presidente ejecutivo de Copa Airlines, recalcó que al __(6)__ por Copa Airlines nuestros pasajeros saben que __(7)__ a tiempo a su destino y esto, sumado a los convenientes horarios y excelentes conexiones que ofrecemos a través de __(8)__ Hub de las Américas ubicado en Panamá, __(9)__ que cada día más viajeros nos __(10)__ con su preferencia.

1. _____ (mejorar)

2. _____ (acompañado)

3. _____ (este)

4. _____ (el)

5. _____ (establecido)

6. _____ (viajar)

7. _____ (llegar)

8. _____ (nuestro)

9. _____ (hacer)

10. _____ (distinguir)

Exercise 9

Este artículo apareció en la página Web de *Europa Press* el 5 de octubre de 2006.

Hotusa abre en la zona alta de Barcelona su sexto hotel de la ciudad, el cuatro estrellas Eurostars Anglí

Eurostars Hotels, empresa del grupo Hotusa, _(1)_ hoy su sexto hotel de Barcelona en el barrio de Sarrià, en la zona alta de _(2)_ capital catalana. Se trata del hotel Eurostars Anglí, _(3)_ por Marta Recasens y Joaquín Diez-Cascón y que cuenta con 48 _(4)_ —una de ellas suite—, piscina y cinco salones de reuniones repartidos en 300 metros cuadrados.

Las instalaciones también acogerán exposiciones y cuentan con dos esculturas de Fernando Botero. Con esta apertura, el grupo hotelero _(5)_ su media de crecimiento de seis hoteles anuales en todo el mundo, y antes de que _(6)_ el año podría adquirir uno más, según explicó el presidente del Grupo Hotusa, Amancio López, que no quiso desvelar más detalles ni la inversión del nuevo hotel de Barcelona _(7)_ hoy.

Hotusa cuenta con 64 establecimientos en 11 países, 35 de los cuales se agrupan en la cadena Eurostars. Del total de hoteles, 24 corresponden a España y el resto a Europa y a dos países Latinoamericanos.

La división de hoteles en explotación _(8)_ experimentó un crecimiento del 20% en 2005, hasta los 113,863 millones de euros, y López predijo que esta evolución seguirá en los próximos años.

Tras las últimas adquisiciones de hoteles en Latinoamérica —dos en México y uno en Argentina—, Hotusa ha vuelto a Europa, donde ha adquirido The Rembrant Residence Hotel, _9_ tres estrellas de Amsterdam (Holanda) que prevé _(10)_ en un establecimiento de lujo en dos años.

1. _____ (inaugurar)

2. _____ (el)

3. _____ (diseñar)

4. _____ (habitación)

5. _____ (mantener)

6. _____ (finalizar)

7. _____ (abrir)

8. _____ (directo)

9. _____ (uno)

10. _____ (convertir)

Exercise 10

Fragmento basado en un artículo publicado en el periódico *El Nuevo Día* de Puerto Rico.

La versatilidad de la yuca

La cocina crece, evoluciona y (1) y no hay mejor ejemplo para ilustrarlo que (2) evolución de un ingrediente como la yuca. La yuca es original de América y (3) el alimento principal de los indios de Centroamérica y del Caribe. Cuentan que cuando Colón, (4) con la hospitalidad de los indios taínos, los (5) a su barco, ellos le llevaron como obsequio la preciada yuca. No fue hasta muchos años después que los europeos (6) apreciado la versatilidad y el sabor de la yuca, pero es de nuestras cocinas criollas que (7) las mejores recetas.

Sin duda, la yuca ha evolucionado. La vemos servida en los nuevos restaurantes en formas que van de lo sublime a lo ridículo. Pero lo cierto es que, no importa cómo la (8), la yuca siempre queda bien. Y parte de la modernización de un ingrediente es que éste se pueda ajustar al estilo de vida que todos llevamos. Para los que no (9) tiempo, la yuca se consigue pelada o rallada en la parte de productos congelados.

Para muchos de nuestros platos podemos usar la congelada que nos acorta el tiempo de cocinar. La yuca es un (10) ejemplo y una buena forma de regresar a nuestras raíces con nuestra vida moderna. ¡A cocinar!

1. _____ (modernizarse)
2. _____ (el)
3. _____ (ser)
4. _____ (impresionar)
5. _____ (invitar)
6. _____ (haber)
7. _____ (provenir)
8. _____ (preparar)
9. _____ (tener)
10. _____ (grande)

Exercise 11

Este artículo apareció en el periódico *El Nuevo Día* de Puerto Rico el 5 de noviembre de 2003.

La papaya y sus beneficios

Es la fruta ideal para los jugos. Sólo necesita un poco de agua o hielo y unas gotitas de limón. Obvie el azúcar o en todo caso, si a usted _(1)_ con un poco más de dulce, agréguele miel de abeja. Es un jugo ideal para _(2)_ las mañanas.

Si nos decidimos por llevarla a casa, _(3)_ que podemos hacer uso de toda la papaya, desde el fruto hasta las semillas. Incluso las hojas de la planta son _(4)_ por sus propiedades medicinales. Se consume directamente como fruta y en forma de jugo.

Su látex, el líquido transparente similar a la goma, _(5)_ la enzima papaína que ayuda a digerir las proteínas. Es mundialmente conocido que la sabrosa papaya es buenísima para el hígado. Desde sus _(6)_ hojas hasta su anaranjado fruto _(7)_ una mina de oro para ayudar a su sistema digestivo. Esto se debe en gran medida a su composición química rica en vitaminas A, C y D que sumados a la carpaína, alcaloide especializado en trabajar sobre el líquido biliar, la proveen de los elementos indispensables para _(8)_ carnes y comidas pesadas.

Algo menos conocido es la provechosa cualidad que poseen sus semillas para eliminar cierta clase de parásitos. Sus verdes hojas pueden ser _(9)_ como antimaláricos y antiasmáticos, mientras que sus enzimas curan heridas y enfermedades _(10)_. En tiempos de mucho calor, es recomendable beber jugos y helados.

1. _____ (gustar)

2. _____ (empezar)

3. _____ (saber)

4. _____ (aprovechado)

5. _____ (contener)

6. _____ (verde)

7. _____ (ser)

8. _____ (digerir)

9. _____ (empleado)

10. _____ (ocular)

Exercise 12

Este artículo apareció en la edición julio/septiembre de 2003 de la revista *American Airlines Nexos*.

Vivir para contarla

Vivir para contarla __(1)__ la crónica de un libro __(2)__ y esperado, compendio y recreación de un tiempo crucial en la vida de Gabriel García Márquez. En __(3)__ apasionante relato, el premio Nobel colombiano ofrece la memoria de __(4)__ años de infancia y juventud, aquellos en los que fundaría el mundo imaginario que, con el tiempo, __(5)__ lugar a algunos de los relatos y novelas fundamentales en la literatura en lengua __(6)__ del siglo XX.

Estamos ante la novela de una vida, a través de __(7)__ páginas García Márquez va __(8)__ ecos de personajes __(9)__ historias que luego poblarían sus obras, como *Cien años de soledad*, *El amor en los tiempos del cólera*, *El Coronel no tiene quien le escriba* y *Crónica de una muerte anunciada*.

Esta autobiografía __(10)__ así en guía de lectura para toda su obra, en acompañante imprescindible para iluminar pasajes inolvidables que, tras la lectura de estas memorias, adquieren una nueva perspectiva.

"La vida no es la que uno vivió, sino la que uno recuerda y cómo la recuerda para contarla".

— Gabriel García Márquez

1. _____ (ser)

2. _____ (anunciar)

3. _____ (este)

4. _____ (su)

5. _____ (dar)

6. _____ (español)

7. _____ (cuyo)

8. _____ (descubrir)

9. _____ (y)

10. _____ (convertirse)

Exercise 13

Este artículo apareció en la edición julio/septiembre de 2003 de la revista *American Airlines Nexos*.

¿Sabía usted . . .?

Jack (1) norteamericano y con ganas de aprender español. Lo hace bien, pero a veces se siente traicionado y pregunta,

"¿Y por qué decimos *el problema* y no *la problema*, si termina en *a*?"

"¿Y por qué no decimos *el poeto*?"

Al (2) Jack no le falta razón para (3) . Lo que ocurre es que (4) idioma es completamente lógico, regular, y el español incluye demasiadas excepciones.

Decimos *el poeta* (en masculino) porque así nos llegó (5) palabra desde el latín, donde (6) otras terminadas en a y que también correspondían a hombres: agrícola (campesino), naura (navegante), etc.

También decimos *el problema* porque (7) palabra viene del griego, idioma en el cual correspondía al género neutro (que el español no (8)). En castellano, las palabras griegas y latinas neutras (9) en masculinas. En el mismo caso están tema, drama, fantasma, dilema, etc. En cambio, cura (el sacerdote) es palabra masculina porque significa "el que cura, el que cuida de las almas". Cura proviene del latín.

El género es sólo una característica de las palabras, como el número (singular o plural). En (10) idiomas, el género ni siquiera existe. Las personas, los animales y algunas plantas sí tienen sexo (masculino o femenino) porque el sexo es una característica de la naturaleza. En cambio, el género de las palabras es un producto de la imaginación, es decir, del lenguaje y varía de un idioma a otro.

1. _____ (ser)

2. _____ (bueno)

3. _____ (quejarse)

4. _____ (ninguno)

5. _____ (ese)

6. _____ (haber)

7. _____ (este)

8. _____ (tener)

9. _____ (convertirse)

10. _____ (otro)

Exercise 14

Este artículo apareció en la edición octubre/diciembre de 2003 de la revista *American Airlines Nexos*.

¡Chévere!

La palabra *chévere* se extendió por toda América Latina y __(1)__ en moneda corriente en los países que miran hacia el mar Caribe. *Ser chévere* significa *excelente, agradable, elegante, una canción chévere, un amigo chévere*…; ¿cómo surgió __(2)__ palabra que no se le ocurrió a Cervantes? Nadie lo sabe a ciencia cierta, pero __(3)__ dos explicaciones posibles.

Durante la colonización de Cuba, los españoles llevaron esclavos africanos, quienes, obviamente, hablaban sus __(4)__ idiomas. __(5)__ de estas lenguas fue el calabar. Para algunos historiadores, *chévere* pudo derivarse de *sebede*, término calabar que significa *adornarse profusamente*.

Sin embargo, hay __(6)__ hipótesis, más curiosa. Ésta supone que *chévere* __(7)__ del nombre de Guillaume (Willem) de Croy, Señor de Chiévres. Este caballero (murió en 1521) fue muy afecto a la elegancia y al boato. Estas aficiones llevaron a convertir su nombre en sinónimo de *elegante*. __(8)__ a América por los conquistadores , la palabra *Chiévres* se convirtió en *chévere*, pero __(9)__ su sentido de *elegante y excelente*.

¿Cuál __(10)__ el verdadero origen de *chévere*: africano o español? Como muchas cosas, quedó perdido en el fondo del tiempo.

1. _____ (convertirse)

2. _____ (ese)

3. _____ (haber)

4. _____ (propio)

5. _____ (uno)

6. _____ (otro)

7. _____ (provenir)

8. _____ (llevado)

9. _____ (conservar)

10. _____ (ser)

Unit 6 Paragraph Completion without Root Words

Introduction/Explanation:

In this unit, you will be given a passage with approximately 10 words missing. Based on the context provided by the entire passage, you will write on the line after each number ONE word that is correct in meaning and form. In order to receive credit, you must spell the word correctly and place accents where necessary. You must supply one word for each blank.

Test-Taking Strategies for the Student:

1. Read the entire passage to scan for main ideas and contextual information.
2. Re-read each section of the passage in order to figure out what part of speech is necessary based on context. When you come to a blank, read the words immediately before and after the blank and then try to figure out the word that is missing.
3. Once you complete the passage, read it again in order to see if it makes sense to you.
4. Proofread your answers and make sure you have verified spelling, agreement and accentuation.
5. Complete every space. Do not leave any empty blanks.

DIRECTIONS: First read the entire passage. Then write, on the line after each number, the most logical and grammatically correct word needed to fill the corresponding blank in order to complete the passage. In order to receive credit, you must spell and accent the word correctly.

INSTRUCCIONES: Primero lee todo el pasaje. Luego escribe en la línea a continuación de cada número la palabra más lógica y gramaticalmente correcta que se necesita para llenar el espacio en blanco correspondiente. Para recibir crédito, tienes que escribir y acentuar correctamente la palabra.

Exercise 1

Este artículo por *Europa Press* apareció en el periódico *El Mundo* el 27 de abril de 2006.

El Gobierno aprobará una subida del 42% de la aportación al Fondo Global contra el SIDA

La vicepresidenta primera del Gobierno, María Teresa Fernández de la Vega, ha anunciado que el Consejo de Ministros aprobará mañana un incremento (1) un 42% de las aportaciones españolas al Fondo Global de Lucha (2) el SIDA, la tuberculosis y la malaria, al tiempo que ha asegurado que el Ministerio de Asuntos Exteriores está elaborando "un ambicioso Plan África" (3) que informará dentro de "muy pocas semanas".

El anuncio fue hecho (4) la vicepresidenta durante la inauguración de la exposición "FotogrÁFRICA, vidas alrededor (5) sida" en la Casa Encendida de Madrid, en la que se muestran los trabajos de cuatro fotógrafos dedicados (6) personas africanas afectadas (7) el VIH y el sida (8) Namibia, Mozambique, Senegal y Angola. La exposición está financiada por la Agencia Española de Cooperación Internacional (AECI) y ha (9) organizada por Médicos (10) Mundo.

1. _____
2. _____
3. _____
4. _____
5. _____
6. _____
7. _____
8. _____
9. _____
10. _____

Exercise 2

Este artículo apareció en el periódico *El Mundo* el 26 de abril de 2006.

Los países del Sur necesitan 15 millones de docentes para lograr una educación universal

En África subsahariana, cada profesor da clase a una media de 50 estudiantes, y (1) a 69 en países (2) Chad. Para alcanzar una cifra 'razonable' de 40 alumnos por docente, el número de (3) debería aumentar un 20% anual. Medio centenar de niños ha acudido a (4) sede de la Comunidad de Madrid y al Congreso de los Diputados (5) pedir a sus respectivos presidentes, Esperanza Aguirre y Manuel Marín, que tomen medidas.

Estos 52 escolares, que han recorrido Madrid en el 'Autobús de la Educación', forman parte de los miles que participan en la Campaña Mundial (6) la Educación (CME) que, bajo (7) lema 'Todos los niños y niñas necesitan profesores', se están movilizando en más (8) 115 países.

En España, la iniciativa ha (9) promovida por Alboan, Ayuda en Acción, Educación Sin Fronteras, Entreculturas, FE-CCOO, FETE-UGT, Intermón Oxfam y STES-I. Estudiantes de 30 ciudades han (10) a cabo actos reivindicativos, con idéntico objetivo.

1. _____

2. _____

3. _____

4. _____

5. _____

6. _____

7. _____

8. _____

9. _____

10. _____

Exercise 3

Este código de ética apareció en el periódico mexicano *La Crónica de Hoy*.

Código de ética

Todo periodista debe siempre tener presente su responsabilidad __(1)__ cuanto a la forma __(2)__ que comunica su información. Aquel periodista que comete faltas graves a la gramática y ortografía españolas se convierte __(3)__ cómplice de una degeneración innecesaria del lenguaje. Se trate de noticias, reportajes, crónicas o artículos, los materiales publicados deberán estar escritos __(4)__ rigor profesional y creatividad.

Para explicar con claridad los sucesos, __(5)__ periodista tiene __(6)__ obligación de informarse a __(7)__ mismo antes de informar a los otros.

El estilo debe ser claro y conciso. Claro, porque se dirige a un público no especializado (o, __(8)__ lo menos, no especializado en todas las ramas). Conciso, porque hay que tomar __(9)__ cuenta que la mayor parte de los lectores dispone de poco tiempo para leer el diario. La precisión y la claridad son preferibles a un estilo "bonito".

El lenguaje con el que se escribe CRÓNICA no será oficialista __(10)__ rebuscado. También evitará el uso de artificios literarios y de lenguaje especializado, que no hacen accesible al público en general el contenido de la nota y terminan por causar rechazo hacia el periódico.

1. _____

2. _____

3. _____

4. _____

5. _____

6. _____

7. _____

8. _____

9. _____

10. _____

Exercise 4

Este artículo apareció en el periódico guatemalteco *La Hora* el 29 de abril de 2006.

Temporada de subastas

Un cuadro de Pablo Picasso estimado _(1)_ 50 millones de dólares, otro de Vincent Van Gogh en 40 millones y uno de Frida Kahlo en 7 millones destacan en la temporada de subastas que comienza _(2)_ martes en Nueva York con el remate de obras de artistas impresionistas y modernos.

La obra de Picasso, *Dora Maar con gato*, pintado en 1941, es uno de los mayores retratos (unos 120 centímetros de alto _(3)_ 94 de ancho) de la mujer que fue amante y fuente de inspiración del pintor andaluz.

El cuadro no ha sido visto _(4)_ más _(5)_ 40 años y, en palabras _(6)_ vicepresidente de Sotheby's, Charles Moffet, "es uno de _(7)_ más extraordinarios retratos de una mujer que durante casi una década fue su musa".

La obra saldrá _(8)_ la venta en la subasta de arte moderno e impresionista de esta casa el 3 de mayo.

Forman parte de la misma subasta otras obras más modestas de Picasso, _(9)_ *Arlequín con bastón* (1969), tasada _(10)_ 8 y 10 millones de dólares, así como cuadros de los franceses Henri Matisse y Edgar Degas o el ruso-francés Marc Chagall.

1. _____
2. _____
3. _____
4. _____
5. _____
6. _____
7. _____
8. _____
9. _____
10. _____

Exercise 5

Fragmento basado en un artículo en el periódico colombiano *El Espectador* el 30 de abril de 2006.

Don Alberto Blanco Barrera

Conocí a don Alberto Blanco _(1)_ más de sesenta años y durante esos largos años sostuve con él una relación, no sólo laboral —pues fue por muchos años, _(2)_ que se jubiló, el contador de la empresa editora de *El Espectador*—, _(3)_ de gran amistad.

Cuando lo conocí, yo era un adolescente, estudiante de los primeros años de bachillerato en el Gimnasio Moderno, y él un joven contador en la empresa de mi familia. Años más tarde, cuando entré _(4)_ trabajar en *El Espectador*, _(5)_ un simple auxiliar en la sección de circulación del periódico, esa relación laboral y de amistad se fue acendrando, pues su profesionalidad y su calidad humana fueron _(6)_ base de un mutuo respeto y un cálido afecto.

Durante los últimos años, _(7)_ 1980 hasta 1998, la empresa pasó _(8)_ una época muy difícil, pues su situación financiera _(9)_ vio menoscabada, por sucesos suficientemente conocidos por la opinión pública nacional _(10)_ internacional, como fueron su lucha por la defensa de los ahorradores . . .

1. _____
2. _____
3. _____
4. _____
5. _____
6. _____
7. _____
8. _____
9. _____
10. _____

Exercise 6

Este artículo apareció en *El Nuevo Día* de Puerto Rico el 19 de julio de 2006.

Tecnología permitirá comprar canciones desde el celular

Una tecnología desarrollada en el Reino Unido permitirá descargar y almacenar en nuevos teléfonos _(1)_ cualquier canción que suene en las emisoras de radio _(2)_ sólo tocar un botón, informa hoy el diario *The Guardian*.

La compañía británica *UBC Media Group*, creadora de esa tecnología, prevé presentar el invento al público el próximo _(3)_ , después de probarlo en la zona de Birmingham, al norte de Inglaterra, a partir del próximo mes. Gracias a esta creación, _(4)_ usuarios podrán _(5)_ canciones de emisoras digitales de radio pulsando un botón de su teléfono móvil que permitirá efectuar la descarga en el aparato.

Cada _(6)_ costará unos 1,8 euros y el adquirente tendrá _(7)_ copias de la misma: una que irá directamente al teléfono y otra que estará disponible para su eventual descarga a un ordenador o a un reproductor musical iPod. En principio está pensado que los consumidores pueden comprar _(8)_ de prepago para descargar las canciones, aunque no se descarta que en un futuro pueda pagarse a través de la _(9)_ de teléfono móvil o del banco.

Según el director ejecutivo de *UBC Media Group*, Simon Cole, la _(10)_ ha invertido 4,38 millones de euros en comercializar una idea que ha gestado durante cuatro años.

1. _____

2. _____

3. _____

4. _____

5. _____

6. _____

7. _____

8. _____

9. _____

10. _____

Exercise 7

Fragmento basado en un artículo, escrito por Marjorie Ross, fue publicado en la edición julio/septiembre de 2003 de la revista *American Airlines Nexos*.

A la caza de un Neruda inédito

Muy cerca de Viña del Mar (1) Isla Negra, residencia-museo de Pablo Neruda, que como se ha dicho tantas veces, ni es isla ni es negra. Allí se guarda la herencia de cientos de artículos que coleccionó el (2), entre los que destacan su exclusiva muestra de caracoles, brújulas y claraboyas, y fragmentos de mascarones de proa. También (3) botellas de vidrio de todos los colores, llaves, botones, ruedas y mil poemas que irradian de cada uno de ellos.

La pasión de Neruda se siente en "Viña", casi (4) si el mismo mar fuera sólo (5) invención suya cuando dijo: "Es como una marea cuando ella clava en mí sus ojos enlutados". Por eso, aunque hay excelentes boutiques con fina ropa y joyería, quien desee adquirir un objeto distinto, que cada (6) que lo mire o que lo toque le traiga de nuevo el rítmico oleaje del océano, se decidirá (7) alguna de las reproducciones del museo del (8), esas que lo hicieron decir: "Amo las cosas loca, locamente".

En (9) tiendas a la orilla del muelle se pueden encontrar las versiones más interesantes, (10) coexisten floreros, llaves y saleros, con barcos y cristos atrapados dentro de botellas transparentes.

1. _____
2. _____
3. _____
4. _____
5. _____
6. _____
7. _____
8. _____
9. _____
10. _____

Exercise 8

Fragmento basado en un artículo, escrito por Guillermo de la Corte, fue publicado en la edición julio/septiembre de 2003 de la revista *American Airlines Nexos*.

Juan Pablo Montoya: La gran promesa en Fórmula Uno

Unos nacen y otros se hacen. Juan Pablo Montoya es uno de los que __(1)__ con la velocidad en __(2)__ genes, con los nervios templados y la sangre fría necesaria para ser un piloto de carreras de automóviles. Ya a los nueve años de __(3)__ ganó el campeonato nacional en la categoría niños de kart en __(4)__ Colombia natal. Desde entonces no ha dejado de destacarse en el mundo de las carreras de autos en todas las categorías a las cuales se ha presentado.

Es memorable el campeonato de fórmula CART que obtuvo en 1999 como el piloto __(5)__ joven que jamás haya ganado esa competición. Un año __(6)__ se llevó la victoria al primer intento en la famosa carrera de las 500 millas de Indianápolis. En los 84 años de historia de esa competencia, es la segunda vez que un novato la gana —después de Graham Hill en 1966— y el segundo latinoamericano, después de Emerson Fittipaldi.

En el 2001, Montoya se pasó a la Fórmula Uno, la reina de las categorías, con la escudería Williams-BMW. En su primera temporada consiguió __(7)__ una de las carreras del campeonato, el Gran Premio de Italia. Durante el año 2002 ofreció destacadas actuaciones, aunque sin triunfar en ninguna __(8)__. En algunas competencias no logró el triunfo debido a fallas mecánicas de su __(9)__. No obstante, Juan Pablo Montoya —de veintiocho años de edad— está todavía en sus comienzos en Fórmula Uno, y de seguro lo veremos muchas veces sonreír triunfante en el podio de __(10)__.

1. _____

2. _____

3. _____

4. _____

5. _____

6. _____

7. _____

8. _____

9. _____

10. _____

Exercise 9

Este artículo apareció en el periódico *Europa Press* el 7 de julio de 2006.

El Instituto Médico Europeo de la Obesidad hará análisis gratuitos a los menores para prevenir la enfermedad

El instituto médico europeo de la obesidad (IMEO) realizará desde el lunes, día 10, hasta el viernes, día 14 análisis _(1)_ a los menores de la comunidad de Madrid _(2)_ prevenir la enfermedad y los trastornos alimenticios, con el fin de concienciar tanto a padres _(3)_ a hijos sobre las afecciones que podrían sufrir en su edad adulta si no toman medidas al respecto.

Según informó el IMEO, el instituto realizará _(4)_ evaluación exhaustiva en aquellos menores _(5)_ en que se les realice un estudio sobre sus hábitos alimenticios y el riesgo que tienen de padecer obesidad y otras _(6)_ relacionadas en su edad adulta. En el examen se medirá el índice de masa corporal (IMC), pliegue tricipital, percentiles, hábitos alimenticios, actividad física, estudio antropométrico así como el consumo de televisión, de ordenador y de consola.

El pasado 1 de julio el ayuntamiento de Madrid _(7)_ público un estudio en que se ponía de manifiesto que el 29 por ciento de los menores de la capital _(8)_ obesos, lo que supone una media de tres puntos por encima de la media nacional.

_(9)_ informe detallaba que el 77 por ciento supera el consumo recomendado de colesterol. Asimismo, apuntaba que uno de cada cinco presenta un problema de _(10)_ relacionado con esta enfermedad y que el 40 por ciento de los varones y el 50 por ciento de las menores no realiza ningún tipo de actividad deportiva.

1. _____
2. _____
3. _____
4. _____
5. _____
6. _____
7. _____
8. _____
9. _____
10. _____

Exercise 10

Este artículo, por Maribel Jiménez, apareció en la edición julio/septiembre de 2003 de la revista *American Airlines Nexos*.

Me quiero ir

El viajar (1) extranjero, sobre todo en calidad de emigrante o estudiante, es siempre un reto, con cientos de incógnitas que no parecen tener respuesta. Pero no hay que preocuparse, porque la página venezolana www.Mequieroir.com llega al rescate.

Muy bien estructurada, primeramente nos plantea esta pregunta:

¿Realmente me quiero ir? Si nuestra respuesta es afirmativa, el proceso comienza (2) los preparativos que hay que hacer (3) de partir.

Información general y sobre la adaptación intercultural es (4) siguiente paso; esta página de Internet nos lleva posteriormente a la importante decisión de a qué (5) deseamos emigrar o desplazarnos para estudiar.

Una vez decididos, nos informará de los (6) pasos que hay que dar en ese país (7) trabajar o estudiar; mencionará los documentos básicos necesarios y su tramitación; enseñará cómo estudiar su idioma, y nos dará información bancaria y de seguros y sugerencias para viajar en el mejor momento y al mejor precio.

Además, "Me quiero ir" ofrece un listado de (8) profesionales para el emigrante y el estudiante (entre ellos, cómo realizar la mudanza). La página también recoge información de actualidad de (9) interés sobre asuntos que afectan a los emigrantes y a las personas que desean emigrar, informaciones difíciles de encontrar en otros medios de (10). Por ejemplo, explica cómo los hijos y nietos de españoles pueden obtener la ciudadanía española gracias a una nueva ley, y qué ayudas financieras se ofrecen en Canadá a estudiantes extranjeros.

1. _____
2. _____
3. _____
4. _____
5. _____
6. _____
7. _____
8. _____
9. _____
10. _____

Exercise 11

Fragmento basado en un artículo publicado en la edición julio/septiembre de 2003 de la revista *American Airlines Nexos*.

Las posadas

_(1)_ 16 de diciembre marca la primera de _(2)_ nueve noches de las celebraciones mexicanas conocidas _(3)_ Las Posadas. Las fiestas conmemoran el peregrinaje de la Santa Familia _(4)_ busca de posada la noche que nació Jesucristo.

Los vecinos _(5)_ organizan y deciden cuáles nueve casas —una _(6)_ noche—, representarán los diversos lugares donde la Santa Familia llegó y _(7)_ rechazada. Los personajes del nacimiento se reparten entre amigos y vecinos. Éstos van en peregrinación a la _(8)_ designada y piden posada hasta _(9)_ las puertas se abren. Todos entran y se rompe la _(10)_ llena de dulces y juguetitos para los niños.

La última posada se celebra en Nochebuena.

1. _____
2. _____
3. _____
4. _____
5. _____
6. _____
7. _____
8. _____
9. _____
10. _____

Exercise 12

Este artículo apareció en el periódico costarricense en línea *Al Día* el 20 de septiembre de 2006.

Todos quieren a Betty

"Ugly Betty," la primera telenovela latina adaptada en Estados Unidos, tuvo un estreno triunfal al ser (1) por más de 16 millones de espectadores el jueves en su (2) capítulo, abriendo una (3) a un género hecho en América Latina.

La serie protagonizada por la (4) de origen hondureño América Ferrera y producida por la mexicana Salma Hayek, fue precedida por una excelente crítica y decenas de columnas en la prensa nacional que analizan su potencial en Estados Unidos, donde la población con raíces (5) se ha convertido en un mercado de más de 40 millones de personas.

Este artículo apareció en el periódico *El Nuevo Día* de Puerto Rico el 27 de junio de 2006.

Venezolana podría ser la primera astronauta latinoamericana

(6) venezolana podría convertirse en la primera astronauta latinoamericana de la historia en el marco de un acuerdo de cooperación espacial (7) preparan Venezuela y Rusia.

"Tenemos el deseo venezolano y la aceptación rusa para que un astronauta venezolano vaya al (8). Y estamos sopesando que sea una mujer", dijo hoy el embajador de Venezuela en Rusia, Alexis Navarro Rojas.

Según dijeron fuentes de ROSKOSMOS, la agencia espacial rusa, el acuerdo de cooperación con Venezuela está ya "prácticamente preparado" y podría (9) firmado durante la visita que realizará en Rusia en la última semana de julio el presidente de Venezuela, Hugo Chávez.

El precio del (10) al espacio, según dichas fuentes, estaría "entorno a los $20 millones".

1. _____
2. _____
3. _____
4. _____
5. _____
6. _____
7. _____
8. _____
9. _____
10. _____

Exercise 13

Este artículo apareció en el periódico *El Vocero de Puerto Rico* el 5 de octubre de 2006.

Selena es recordada con sellos postales

El primero de (1) serie de sellos postales con la imagen de Selena Quintanilla salió a la venta ayer en Estados Unidos y podrá adquirirse por (2) limitado a través de *Premiere Postage,* una empresa dedicada a la emisión de estampillas conmemorativas.

La primera edición de sellos de la desaparecida "reina" de la música tejana, (3) asesinato en 1995 conmovió al mundo entero, puede adquirirse en hojas de 8,5 por 10 pulgadas que incluyen nueve estampillas extra grandes de primera (4) y una adicional con el texto *Forever in our Hearts* (por siempre en nuestros corazones), a un costo de 19,99 dólares.

"Estamos (5) orgullosos del impacto que sigue teniendo el legado de Selena en el mundo de la (6) y más allá también", dijo el padre de la (7), Abraham Quintanilla, en un comunicado emitido por *Hispanic PR Wire.*"Éste es un gran honor a la memoria de Selena y una celebración de su vida".

El sello puede adquirirse únicamente a través del sitio de Internet www.premierepostage.com, donde estará (8) hasta febrero del 2007, cuando la compañía emitirá la próxima edición con otra imagen de Selena.

Selena estaba al tope de la popularidad cuando, a los 23 (9), fue asesinada por la presidenta de su club de fans tras una discusión económica.

Su vida fue llevada a la gran pantalla en una (10) homónima de Gregory Nava protagonizada por Jennifer López.

1. _____
2. _____
3. _____
4. _____
5. _____
6. _____
7. _____
8. _____
9. _____
10. _____

Exercise 14

Fragmentos basados en unos artículos publicado en la revista *Ronda de Iberia Airlines* en el año 2000.

Fiestas de Santiago el Mayor

En el año 813, (1) obispo Teodorimo afirmó haber encontrado en Galicia el sepulcro del apóstol Santiago que, (2) la tradición, se había ocupado de evangelizar España. En torno al lugar creció con gran prosperidad la ciudad de Santiago de Compostela, convertida en foco de atracción (3) peregrinos.

Pasó el tiempo en que los caballeros cristianos gritaban el nombre de Santiago al lanzarse (4) la batalla contra el infiel, pero el santo patrón de España es festejado en todo el país. En Santiago de Compostela las fiestas duran una quincena y ofrecen posibilidades para todos los gustos: folklore gallego, teatro, comparsas de gigantes y cabezudos, feria de ganado y, (5) eje principal, la misa y ofrenda nacional al Santo en la soberbia catedral románica.

Llévese el mejor recuerdo de España

Los regalos que se compran, ese capricho del que nos enamoramos, ayudan a convertir cada viaje (6) algo inolvidable. Y en El Corte Inglés (7) tenemos todo pensado para que sus compras entre nosotros resulten perfectas: cambio de moneda, admisión de tarjetas de crédito, servicio de intérpretes, envío de paquetes (8) hotel o, si lo prefiere, a su domicilio. Todo un mundo de atenciones para que (9) sus compras (10) lleve el mejor recuerdo de España.

1. _____
2. _____
3. _____
4. _____
5. _____
6. _____
7. _____
8. _____
9. _____
10. _____

Unit 7 Informal Writing

Introduction/Explanation:

In this unit, you will be given a writing task for an informal situation. You will have 10 minutes to read the prompt and write your response. Remember that it is an informal situation. If your work appears to take on a formal tone, you will be penalized points. Although informal, your writing should reflect accurate grammatical structures, forms of address, rich vocabulary, paragraphing and punctuation.

Test-Taking Strategies for the Student:

1. Be sure to understand the prompt before you begin writing.
2. Remember to keep it informal, use "tú" and all its forms, rather than "Ud." and its forms.
3. Organize your thoughts before you begin to write, and make a list of useful vocabulary.
4. Carefully write your sample, keeping in mind grammatical structures, punctuation and paragraphing. Try to make it as genuine a document as possible.
5. Proofread your paper and make corrections before time is called.

DIRECTIONS: For the following question, you will write a message. You have 10 minutes to read the question and write your response. Your response should be at least 60 words in length.

INSTRUCCIONES: Para la pregunta siguiente, escribirás un mensaje. Tienes 10 minutos para leer la pregunta y escribir tu respuesta. Tu respuesta debe tener una extensión mínima de 60 palabras.

Exercise 1

Después de las clases trabajas en una agencia comunal ayudando a inmigrantes que no hablan inglés. Envía un mensaje electrónico a tu mejor amigo. Salúdalo y
- dile qué cosas haces
- menciona cómo reaccionan cuando les ayudas
- dile cómo te sientes ayudando a la gente

Exercise 2

Tienes que hacer un reporte oral para tu clase de español sobre el medio ambiente. Mándale una carta a tu tía en la Argentina pidiéndole ayuda. Después de saludarla,
- expresa qué necesitas
- menciona cómo ella puede ayudarte
- dile para cuándo necesitas la información

Exercise 3

Durante las vacaciones de primavera te encuentras en México con tus compañeros de la clase de español. Envía una tarjeta postal a tu mejor amigo diciéndole acerca de tu viaje. Le puedes decir
- qué lugares has visitado
- qué cosas piensas ver
- cuéntale alguna anécdota interesante

Exercise 4

Tus padres han invitado a la hija de su mejor amiga a que venga a pasar un mes con tu familia en Estados Unidos. Escríbele un mensaje electrónico a la chica y
- expresa tu alegría
- menciona qué van a hacer
- dile qué necesita traer

Exercise 5

Acabas de regresar a Estados Unidos después de pasar dos meses en España con una familia como estudiante de intercambio. Envíale una tarjeta de agradecimiento a la familia y
- dale las gracias
- dile cómo lo pasaste
- menciona lo que aprendiste

Exercise 6

Tu profesora de español está organizando un viaje a España. Para ser seleccionados, los alumnos interesados tienen que escribir una carta explicando por qué deben ser escogidos. Escribe una carta a la profesora y
- expresa tu interés
- explícale qué harás durante el viaje
- menciona cómo te beneficiarás

Exercise 7

Quieres comprar un regalo para el cumpleaños de tu compañera de clase. Escribe un mensaje electrónico a su hermana y
- menciónale lo que quieres hacer
- pregúntale qué te sugiere
- exprésale tu agradecimiento

Exercise 8

Escribe un mensaje electrónico a una amiga para decirle acerca del carro que tus padres te regalaron para la graduación. Saluda a tu amiga y
- menciona tu regalo
- expresa tu reacción al regalo
- di cómo vas a usar el regalo

Exercise 9

Tienes que entregar un proyecto para la clase de ciencias, pero lo dejaste en tu casa. Escríbele un mensaje electrónico a tu hermano. Salúdalo y

- explícale el problema
- dile dónde se encuentra el proyecto
- pídele que te lo traiga

Exercise 10

Vas a participar en un intercambio con una familia en Puerto Rico. Escríbele un mensaje electrónico a la familia con la que vas a vivir. Preséntate y

- cuéntale un poco de tus intereses, preferencias de comida y rutina diaria
- dile lo que quieres hacer y ver durante tu estancia en su casa
- dale las gracias por hospedarte en su casa

Exercise 11

Te toca organizar la fiesta de sorpresa para el 25 aniversario de bodas de tus padres. Escríbeles un mensaje electrónico a los invitados. Salúdalos y

- diles los datos de la fiesta
- menciona unas sugerencias para regalos
- diles cómo pueden ayudarte

Exercise 12

No estuviste en la clase de español el día de un examen importante. Escríbele una nota a tu profesor de español. Salúdalo y

- explícale por qué faltaste
- ofrece hacer el examen otro día
- dale las gracias por su amabilidad

Exercise 13

Tu tío te ha regalado billetes para un concierto. Envíale un mensaje electrónico para darle las gracias. Salúdalo y

- expresa tu gratitud
- dile cuánto te gusta el grupo musical
- cuéntale tus planes para la noche del concierto

Exercise 14

Te enteras de que tu amigo de Costa Rica viene a visitarte este verano. En un mensaje electrónico, salúdalo y

- expresa tu alegría
- pregúntale qué quiere hacer durante su visita (menciona algunas posibilidades)
- dile los preparativos que has hecho para buscarlo en el aeropuerto

Unit 8 Formal Writing (Integrated Skills)

Introduction/Explanation:

In this unit, you will be given two written and one oral source of information. After reading and listening, you will be given a prompt to write an essay. You will be expected to answer the question, citing from the three sources to back up your response. You will be able to refer to the written articles as you write your answer, but you will only hear the spoken portion once.

Test-Taking Strategies for the Student:

1. Be sure to listen carefully to the audio and to take notes, since you will only hear it once.
2. Remember to keep your writing formal, and to use impersonal expressions, *Ud.* rather than *tú* in a letter, and third person rather than first person (unless appropriate).
3. Locate statements or tone in the written articles, as well as in the audio, <u>that support your response</u>. Either cite the source with quotation marks or paraphrase with appropriate credit.
4. Write a brief outline of how you will lay out your essay. What is your response? How can it be supported? What evidence will you cite? Also make a list of useful vocabulary, trying to use synonyms and idiomatic expressions.
5. Carefully write your sample, keeping in mind grammatical structures, punctuation and paragraphing, vocabulary, and reference to sources. <u>Be sure to directly answer the prompt</u>.
6. Proofread your paper and make corrections before time is called.

DIRECTIONS: The following question is based on the accompanying sources 1-3. The sources include both print and audio material. First, you will have 7 minutes to read the printed material. Afterward, you will hear the audio material; you should take notes while you listen. Then, you will have 5 minutes to plan your response and 40 minutes to write your essay. Your essay should be at least 200 words in length.

This question is designed to test your ability to interpret and synthesize different sources. Your essay should use information from the sources to support your ideas. You should refer to ALL of the sources. As you refer to the sources, cite them appropriately. Avoid simply summarizing the sources individually.

INSTRUCCIONES: La pregunta siguiente se basa en las fuentes 1-3. Las fuentes comprenden material tanto impreso como auditivo. Primero, dispondrás de 7 minutos para leer el material impreso. Después, escucharás el material auditivo; debes tomar apuntes mientras escuchas. Entonces, tendrás 5 minutos para organizar tus ideas y 40 minutos para escribir tu ensayo. El ensayo debe tener una extensión mínima de 200 palabras.

Esta pregunta se diseñó para medir tu capacidad de interpretar y sintetizar varias fuentes. Tu ensayo debe utilizar información de las fuentes que apoye tus ideas. Debes referirte a TODAS las fuentes. Al referirte a las fuentes, cítalas apropiadamente. Evita simplemente resumir las fuentes individualmente.

Exercise 1

Explica cómo la gente de los países atacados se ha unificado como resultado de los atentados terroristas.

Fuente 1

Este fragmento de un ensayo apareció en el periódico electrónico del *Departamento de Estado de Estado Unidos* en septiembre de 2002.

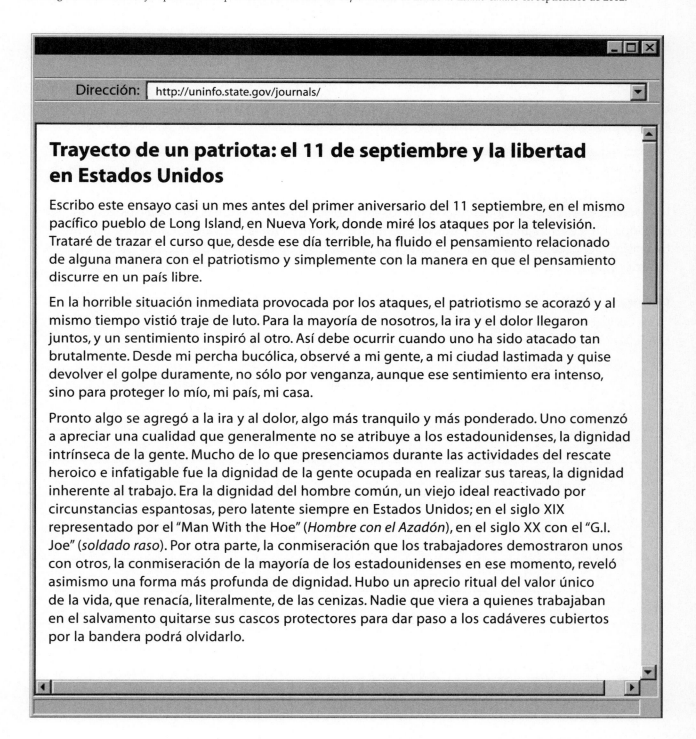

Dirección: http://uninfo.state.gov/journals/

Trayecto de un patriota: el 11 de septiembre y la libertad en Estados Unidos

Escribo este ensayo casi un mes antes del primer aniversario del 11 septiembre, en el mismo pacífico pueblo de Long Island, en Nueva York, donde miré los ataques por la televisión. Trataré de trazar el curso que, desde ese día terrible, ha fluido el pensamiento relacionado de alguna manera con el patriotismo y simplemente con la manera en que el pensamiento discurre en un país libre.

En la horrible situación inmediata provocada por los ataques, el patriotismo se acorazó y al mismo tiempo vistió traje de luto. Para la mayoría de nosotros, la ira y el dolor llegaron juntos, y un sentimiento inspiró al otro. Así debe ocurrir cuando uno ha sido atacado tan brutalmente. Desde mi percha bucólica, observé a mi gente, a mi ciudad lastimada y quise devolver el golpe duramente, no sólo por venganza, aunque ese sentimiento era intenso, sino para proteger lo mío, mi país, mi casa.

Pronto algo se agregó a la ira y al dolor, algo más tranquilo y más ponderado. Uno comenzó a apreciar una cualidad que generalmente no se atribuye a los estadounidenses, la dignidad intrínseca de la gente. Mucho de lo que presenciamos durante las actividades del rescate heroico e infatigable fue la dignidad de la gente ocupada en realizar sus tareas, la dignidad inherente al trabajo. Era la dignidad del hombre común, un viejo ideal reactivado por circunstancias espantosas, pero latente siempre en Estados Unidos; en el siglo XIX representado por el "Man With the Hoe" (*Hombre con el Azadón*), en el siglo XX con el "G.I. Joe" (*soldado raso*). Por otra parte, la conmiseración que los trabajadores demostraron unos con otros, la conmiseración de la mayoría de los estadounidenses en ese momento, reveló asimismo una forma más profunda de dignidad. Hubo un aprecio ritual del valor único de la vida, que renacía, literalmente, de las cenizas. Nadie que viera a quienes trabajaban en el salvamento quitarse sus cascos protectores para dar paso a los cadáveres cubiertos por la bandera podrá olvidarlo.

Fuente 2

Este artículo fue escrito por la *Agencia EFE* y apareció en la página Web de *Univisión* el 11 de marzo de 2005.

11 de marzo: masacre en Madrid

Madrid, víctima del terror: La normalidad se esfumó de la capital española la mañana del 11 de marzo de 2004, cuando en cuestión de minutos, el miedo, el dolor y la confusión hicieron que los españoles vivieran el día más triste de su historia.

Lo que comenzó como un día común y corriente, se tiñó de sangre a partir de las 7:39 a.m. locales: durante 15 minutos, una serie de diez explosiones sacudieron a cuatro estaciones de trenes suburbanos, a la hora de mayor congestión de pasajeros.

El hecho revivió el monstruo del terrorismo, que había tomado "una larga siesta" desde los ataques del 11 de septiembre de 2001 en Washington y Nueva York, que dejaron un saldo de 3 mil muertos.

Solidaridad global: La sociedad estaba conmocionada. A España llegaron mensajes de condolencia de todas partes del planeta. Millones de personas de todo el mundo se solidarizaron con los familiares de las víctimas.

Las víctimas y el dolor no sólo fueron para los españoles. Entre las víctimas, de todas las edades, había rumanos, franceses, marroquíes y muchas de nacionalidades latinoamericanas. La rabia y el llanto traspasaron el océano para llegar hasta República Dominicana, Perú, Ecuador, Chile y otros países de América Latina.

Fuente 3

(AUDIO): El informe, "La boda real/11 de marzo", basado en un artículo de *El Periódico de Catalunya*, apareció en línea en *Authentik Language Learning Resources* el 23 de mayo de 2004.

Notas

_____

_____

_____

_____

_____

_____

_____

_____

_____

Exercise 2

Quién debería de suministrar el agua potable, ¿el gobierno o una empresa privada?

Fuente 1

Este artículo apareció en la página Web *Decenio internacional para la acción* de las Naciones Unidas.

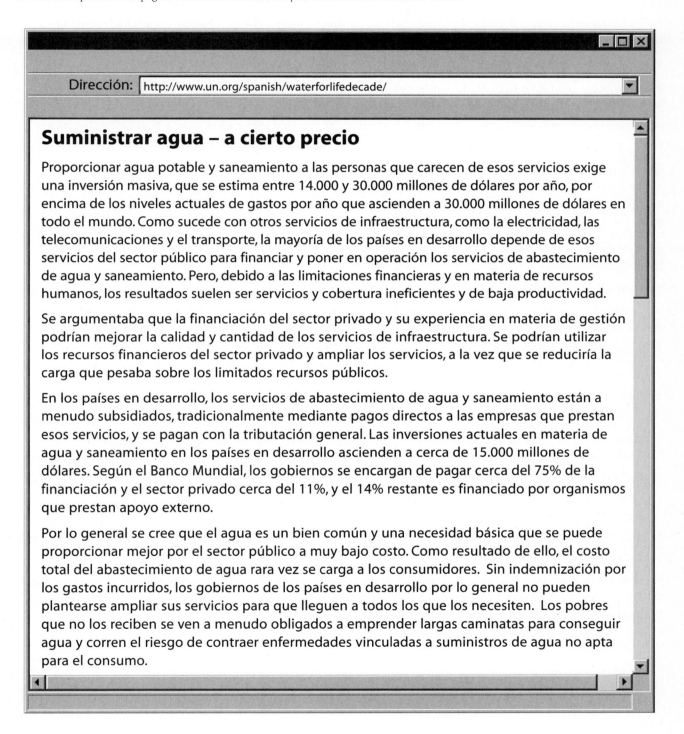

Dirección: http://www.un.org/spanish/waterforlifedecade/

Suministrar agua – a cierto precio

Proporcionar agua potable y saneamiento a las personas que carecen de esos servicios exige una inversión masiva, que se estima entre 14.000 y 30.000 millones de dólares por año, por encima de los niveles actuales de gastos por año que ascienden a 30.000 millones de dólares en todo el mundo. Como sucede con otros servicios de infraestructura, como la electricidad, las telecomunicaciones y el transporte, la mayoría de los países en desarrollo depende de esos servicios del sector público para financiar y poner en operación los servicios de abastecimiento de agua y saneamiento. Pero, debido a las limitaciones financieras y en materia de recursos humanos, los resultados suelen ser servicios y cobertura ineficientes y de baja productividad.

Se argumentaba que la financiación del sector privado y su experiencia en materia de gestión podrían mejorar la calidad y cantidad de los servicios de infraestructura. Se podrían utilizar los recursos financieros del sector privado y ampliar los servicios, a la vez que se reduciría la carga que pesaba sobre los limitados recursos públicos.

En los países en desarrollo, los servicios de abastecimiento de agua y saneamiento están a menudo subsidiados, tradicionalmente mediante pagos directos a las empresas que prestan esos servicios, y se pagan con la tributación general. Las inversiones actuales en materia de agua y saneamiento en los países en desarrollo ascienden a cerca de 15.000 millones de dólares. Según el Banco Mundial, los gobiernos se encargan de pagar cerca del 75% de la financiación y el sector privado cerca del 11%, y el 14% restante es financiado por organismos que prestan apoyo externo.

Por lo general se cree que el agua es un bien común y una necesidad básica que se puede proporcionar mejor por el sector público a muy bajo costo. Como resultado de ello, el costo total del abastecimiento de agua rara vez se carga a los consumidores. Sin indemnización por los gastos incurridos, los gobiernos de los países en desarrollo por lo general no pueden plantearse ampliar sus servicios para que lleguen a todos los que los necesiten. Los pobres que no los reciben se ven a menudo obligados a emprender largas caminatas para conseguir agua y corren el riesgo de contraer enfermedades vinculadas a suministros de agua no apta para el consumo.

Fuente 2

Este artículo apareció en el sitio de Internet de *Tierramérica* en el año 2006.

¿El agua es un derecho o un negocio?

En el mundo contemporáneo no existe un tema más importante que el del agua dulce. De ella depende la supervivencia de la cadena de la vida y, por consiguiente, de nuestro futuro. El agua puede ser motivo de guerras pero también de solidaridad y cooperación entre los pueblos.

El agua es extremadamente abundante y, al mismo tiempo, extremadamente escasa.

Hay 97 por ciento de agua salada y tres por ciento de agua dulce. De ésta, sólo 0,7 por ciento es accesible al uso humano. La renovación de las aguas se estima en 43 mil kilómetros cúbicos anuales, mientras el consumo total es de seis mil kilómetros cúbicos. Aunque esto indica superabundancia de agua, su distribución es desigual: 60 por ciento se concentra en nueve países, mientras 80 países padecen escasez.

Un poco menos de mil millones de personas consumen 86 por ciento del agua disponible, que en cambio, es insuficiente para otros mil 400 millones. Se calcula que hacia 2032 cerca de cinco mil millones de personas estarán afectadas por la crisis del agua.

El problema no es la escasez de agua sino su manejo en relación a las necesidades humanas y de los demás seres vivos.

Lo cierto es que el agua se ha convertido en un bien costoso. Como nos rige una economía de mercado que transforma todo en mercancía, estamos asistiendo a una carrera mundial por la privatización del agua. Ha surgido un mercado del agua estimado en unos cien mil millones de dólares.

El gran debate actual se plantea en estos términos: ¿el agua es fuente de vida o fuente de lucro?

Comencemos por establecer que el agua no es un bien económico como cualquier otro. Está tan estrechamente ligada a la vida que debemos considerarla como parte de la vida misma y como algo sagrado. Y la vida no puede ser transformada en una mercadería.

Para entender la riqueza del agua tenemos que romper con la dictadura que el pensamiento instrumental-analítico y utilitarista impone a toda la sociedad. Según este razonamiento el agua es un recurso hídrico con el cual se puede hacer negocios.

Pero el ser humano tiene también la razón sensible, la razón emocional y la razón espiritual. Son razones ligadas al sentido de la vida. Son razones no para lucrar, sino para vivir y conferir excelencia a la vida. El agua debe ser vista en esta perspectiva, como un bien natural y como el nicho en el que hace tres mil 800 millones de años surgió la vida en la Tierra.

Se debería garantizar a todos los seres humanos por lo menos 50 litros de agua potable gratuita al día. Es tarea del Estado, junto con la sociedad organizada, la creación de un financiamiento público para cubrir los costos necesarios para asegurar ese derecho.

Fuente 3 🔊)))

(AUDIO): El informe, "Nueva escaramuza por el agua", apareció en la página Web de *Tierramérica* el 30 de enero de 2006.

Notas

_____

_____

_____

_____

_____

_____

_____

_____

_____

_____

_____

_____

_____

_____

_____

_____

_____

_____

_____

_____

_____

_____

_____

Exercise 3

¿Qué se debería de hacer para fomentar mejores hábitos nutritivos y disminuir la obesidad?

Fuente 1

Este artículo apareció en la *Revista Cromos* de Colombia el 17 de marzo de 2006.

Niños con obesidad

Se calcula que en menos de una década será difícil encontrar un menor de edad con peso normal, y aunque el desarrollo de nuevas herramientas de control y tratamiento del sobrepeso y la obesidad se mantiene firme, la creciente cantidad de niños que se ven enfrentados a las consecuencias de estas condiciones de manera prematura se dispara de manera alarmante. Mientras se desarrollan y aprueban nuevos tratamientos dirigidos al control de este problema en niños, los resultados de un programa de control de peso en adolescentes del Children's Hospital de Boston, es una prueba más de que la solución no siempre se encuentra por completo en la farmacia o en el quirófano. En un estudio clínico realizado en poco más de cien adolescentes con sobrepeso, se comprobó que simplemente con eliminar en los hogares las bebidas con azúcar, ricas en calorías, se logra reducir el peso de estos menores de manera sustancial y progresiva. Así se demuestra que promoviendo una leve reducción de calorías al día, se puede hacer una gran diferencia en el futuro de estos niños y niñas con sobrepeso y obesidad, reflejando el importante papel que desempeñan los involucrados en la educación, desarrollo y crianza de los niños, empezando por los padres de familia.

Fuente 2

Este artículo apareció en el sitio de Internet de *Europa Press* el 3 de julio de 2006.

Los expertos relacionan la obesidad infantil más con la falta de ejercicio que con problemas en la conducta alimentaria.

La Universidad de Castilla-La Mancha presentó hoy, en los cursos de verano, un informe sobre 'Obesidad: presente y futuro de una epidemia', donde relaciona el aumento de la obesidad infantil más con el escaso ejercicio que con una mala alimentación.

El estudio, realizado por el Centro de Estudios Sociosanitarios desde 1992 y dirigido por Vicente Martínez Vizcaíno, explica que los niños se están alimentando razonablemente bien pero que se está produciendo un fenómeno paradójico y consiste en la constatación de que se comen menos calorías y la obesidad está aumentando.

La investigación demuestra que el aumento de la obesidad no viene dado sólo por problemas en la conducta alimentaria, sino por una disminución de la actividad física. Por ello, la propuesta de los investigadores consiste en que los niños abandonen la vida excesivamente sedentaria, y que hagan más actividad física.

El estudio se ha desarrollado con más de mil niños procedentes de 20 colegios de otros tantos municipios de mayor población de la provincia de Cuenca, donde se dividieron en dos grupos: los niños que realizaron más actividad física extraescolar y en otro los que menos. Al cabo de un año de trabajo, se ha observado cómo el aumento del ejercicio físico ha favorecido tanto la disminución de la grasa corporal como el aumento del colesterol bueno.

Fuente 3 🔊))))

(AUDIO): Este informe, que se titula "La obesidad es una nueva preocupación para América Latina", se emitió por *Radio Naciones Unidas* el 26 de septiembre de 2005.

Notas

_____

_____

_____

_____

_____

_____

_____

_____

_____

_____

_____

_____

_____

_____

_____

_____

_____

_____

_____

_____

_____

_____

Exercise 4

¿Cómo ha contribuido el ser humano a la contaminación del aire?

Fuente 1

Este artículo por Luis Echarri apareció en el libro electrónico *Ciencia de la Tierra y del Medio Ambiente*.

Contaminación de la atmósfera

La atmósfera es esencial para la vida por lo que sus alteraciones tienen una gran repercusión en el hombre y otros seres vivos y, en general, en todo el planeta. Es un medio extraordinariamente complejo y la situación se hace todavía más complicada y difícil de estudiar cuando se le añaden emisiones de origen humano en gran cantidad, como está sucediendo en estas últimas décadas.

Una atmósfera contaminada puede dañar la salud de las personas y afectar a la vida de las plantas y los animales. Pero, además, los cambios que se producen en la composición química de la atmósfera pueden cambiar el clima, producir lluvia ácida o destruir el ozono, fenómenos todos ellos de una gran importancia global. Se entiende la urgencia de conocer bien estos procesos y de tomar las medidas necesarias para que no se produzcan situaciones graves para la vida de la humanidad y de toda la biosfera.

Nuestra actividad, incluso la más normal y cotidiana, origina contaminación. Cuando usamos electricidad, medios de transporte, metales, plásticos o pinturas; cuando se consumen alimentos, medicinas o productos de limpieza; cuando se enciende la calefacción o se calienta la comida o el agua; etc. Se producen, directa o indirectamente, sustancias contaminantes.

En un país industrializado la contaminación del aire procede, más o menos a partes iguales, de los sistemas de transporte, los grandes focos de emisiones industriales y los pequeños focos de emisiones de las ciudades o el campo; pero no debemos olvidar que siempre, al final, estas fuentes de contaminación dependen de la demanda de productos, energía y servicios que hacemos el conjunto de la sociedad.

Fuente 2

Este artículo apareció en la página Web de *South Coast AMQD* de Orange County, California.

Aire sucio: Efectos de la contaminación del aire sobre la salud

En la última década, la calidad del aire ha mejorado significativamente en el Sur de California. Algunos de los esfuerzos que han ayudado a mejorar la calidad de nuestro aire incluyen:

- Motores más limpios,
- Chequeos de *smog*,
- Bocas de recuperación de vapores en los surtidores de gasolina,
- Regulaciones para los solventes que están presentes en los productos de pintura,
- Regulación en todo el Estado respecto a la cantidad de solventes que se encuentran en los productos de consumo, y
- Normas regionales para el control de la calidad del aire que continuamente reducen las emisiones de más de 26,000 comercios.

Lamentablemente, la mala calidad del aire continúa siendo una amenaza real para la salud en nuestra región, la cual cubre las áreas urbanas de los condados de Los Ángeles, Riverside y San Bernardino y todo el condado de Orange. Si usted reside o trabaja en esta área, probablemente ha escuchado informes precautorios sobre el aire insalubre, ha visto cómo la contaminación oculta la belleza de nuestros paisajes o conozca a alguna persona cuya salud está afectada por el aire sucio.

La Agencia de Protección Medioambiental de los EE.UU. ha designado a nuestra región como un área con un extremo contenido de ozono a nivel del suelo. Particularmente durante la estación de *smog* en el verano, no conseguimos cumplir con los estándares de salud para la calidad del aire y nos vemos clasificados entre las áreas del país que tienen más *smog*.

Aproximadamente el 70% de nuestro problema de *smog* en el área está causado por vehículos y otras fuentes móviles con motores de combustión interna, incluyendo camiones, autobuses, equipo agrícola, equipo para la construcción y equipo de jardinería y cortadoras de césped que funcionan a gasolina. Con 15 millones de residentes y 11 millones de automotores, los conductores de la ensenada conducen más de 318 millones de millas cada día. El crecimiento futuro implica la existencia de más vehículos en nuestros caminos añadiendo contaminación al aire que respiramos.

Fuente 3 🔊

(AUDIO): El informe,"Fracasa plan para limpiar aire en Santiago de Chile", apareció en la página Web de *Tierramérica* el 22 de mayo de 2006.

Notas

_____

_____

_____

_____

_____

_____

_____

_____

_____

_____

_____

_____

_____

_____

_____

_____

_____

_____

_____

Exercise 5

¿Cómo es posible que exista la esclavitud en el siglo XXI?

Fuente 1

Este artículo apareció en la *Revista Fusión* en febrero de 2004

Esclavos del Siglo XXI

Que en pleno siglo XXI siga existiendo esclavitud puede parecer increíble o, como mucho, pensar que se está hablando de algún país perdido en el mapa. Pero no, existe esclavitud en todas partes, allí donde no se respeten los derechos humanos, allí donde existan hombres que desprecien la dignidad humana, que se crean superiores, diferentes, mejores.

La esclavitud nunca se ha erradicado, sólo ha cambiado de forma, ha mutado, para adaptarse a los tiempos y para pasar desapercibida entre el ruido y las prisas.

Ya no cruzan los mares barcos cargados de negros hacinados en las bodegas para ser vendidos luego como mano de obra, como criados de los terratenientes. Pero hoy cruzan en pateras para morir en la costa o para acabar siendo explotados por empresarios sin escrúpulos.

Pero también se trafica con mujeres, con niños, con todo aquello que sirve para satisfacer las "necesidades" del primer mundo.

Esclavos del siglo XXI que no se diferencian en nada a los de cualquier tiempo, porque las miserias humanas no conocen épocas, ni entienden de progreso.

Antes la esclavitud se definía en una línea concreta de actuación. Ahora se ha diversificado e introducido en todos los niveles de la sociedad, en todos los terrenos.

En el fondo se trata de explotar al prójimo, de robarle su dignidad, de utilizarle para tu provecho y para la satisfacción de los más bajos instintos.

La humanidad ha cambiado de ropajes, pero ningún cambio ha podido disimular sus eternas carencias.

El hombre sigue siendo el peor enemigo del hombre.

¿Hasta cuándo?

Fuente 2

Este artículo apareció en *BBC Mundo* el 16 de mayo de 2005.

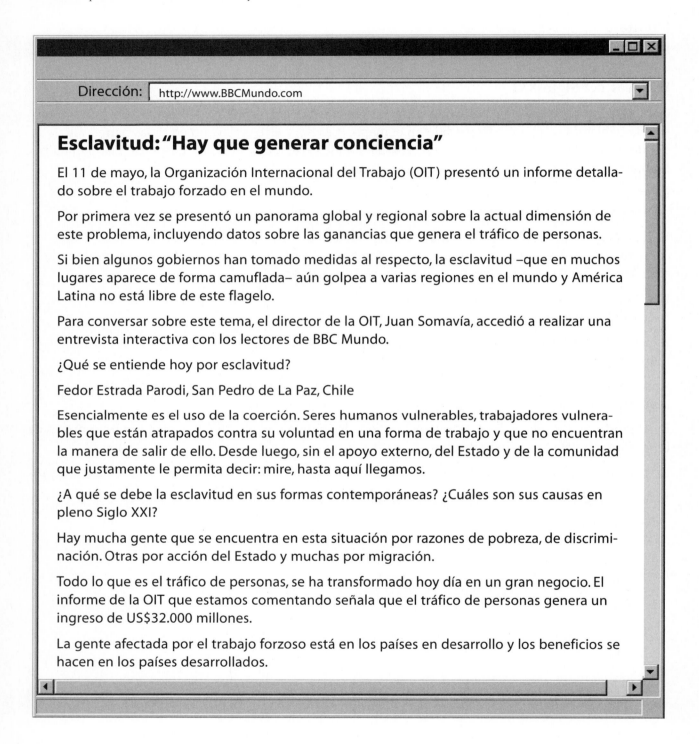

Dirección: http://www.BBCMundo.com

Esclavitud: "Hay que generar conciencia"

El 11 de mayo, la Organización Internacional del Trabajo (OIT) presentó un informe detallado sobre el trabajo forzado en el mundo.

Por primera vez se presentó un panorama global y regional sobre la actual dimensión de este problema, incluyendo datos sobre las ganancias que genera el tráfico de personas.

Si bien algunos gobiernos han tomado medidas al respecto, la esclavitud –que en muchos lugares aparece de forma camuflada– aún golpea a varias regiones en el mundo y América Latina no está libre de este flagelo.

Para conversar sobre este tema, el director de la OIT, Juan Somavía, accedió a realizar una entrevista interactiva con los lectores de BBC Mundo.

¿Qué se entiende hoy por esclavitud?

Fedor Estrada Parodi, San Pedro de La Paz, Chile

Esencialmente es el uso de la coerción. Seres humanos vulnerables, trabajadores vulnerables que están atrapados contra su voluntad en una forma de trabajo y que no encuentran la manera de salir de ello. Desde luego, sin el apoyo externo, del Estado y de la comunidad que justamente le permita decir: mire, hasta aquí llegamos.

¿A qué se debe la esclavitud en sus formas contemporáneas? ¿Cuáles son sus causas en pleno Siglo XXI?

Hay mucha gente que se encuentra en esta situación por razones de pobreza, de discriminación. Otras por acción del Estado y muchas por migración.

Todo lo que es el tráfico de personas, se ha transformado hoy día en un gran negocio. El informe de la OIT que estamos comentando señala que el tráfico de personas genera un ingreso de US$32.000 millones.

La gente afectada por el trabajo forzoso está en los países en desarrollo y los beneficios se hacen en los países desarrollados.

Fuente 3 🔊))))

(AUDIO): Este informe, que se titula "Colombia aumenta su lucha contra 'la esclavitud moderna'", se emitió por *Radio Naciones Unidas* el 6 de julio de 2006.

Notas

_____

_____

_____

_____

_____

_____

_____

_____

_____

_____

_____

_____

_____

_____

_____

_____

_____

_____

_____

_____

_____

Exercise 6

El abuso de animales universalmente se considera cruel. Sin embargo, en algunos países de habla española continúa la tradición de la corrida de toros. Expresa tu opinión acerca del maltrato de animales en nuestra sociedad.

Fuente 1

Este artículo apareció en el periódico puertorriqueño *El Nuevo Día* en julio de 2003.

Aumenta el maltrato y abandono de animales

Por cada animalito mimado por sus dueños, hay docenas que son maltratados.

El año pasado, los siete refugios de animales que existen en Puerto Rico recibieron 60.000 mascotas y la mayoría tuvo que ser sacrificada.

A manera de ejemplo, el refugio Humane Society of Puerto Rico en Guaynabo recibió en 1999, 6.404 animales. De éstos, 411 fueron adoptados.

"El resto fue puesto a dormir pues es peor dejarlos en la calle", explicó Carla Cappalli, directora ejecutiva de la Sociedad Protectora de Animales. En el grupo de animalitos sacrificados hay mascotas de raza.

En Estados Unidos la tendencia es similar. Se estima que cada año entre 8 y 12 millones de animales son llevados a refugios, de los cuales se sacrifican entre 4 y 6 millones, según datos del Lehigh Valley Animal Rights Coalition.

La raíz del problema es la sobrepoblación de mascotas –principalmente perros y gatos– por el apareamiento indiscriminado o por el mero interés de reproducirlos para lucro personal.

En ocasiones se regalan mascotas a personas que luego no las pueden atender. Los animalitos terminan en la calle o en un refugio. "La gente regala animales como si fueran juguetes", dijo.

Un plan de esterilizaciones masivo podría ser una alternativa, sugirió el veterinario Gabriel Castro. "El colegio de veterinarios tiene un plan aprobado. Lo que hace falta es el respaldo gubernamental y privado que permita crear un fondo para costearlo", dijo.

Varias medidas relacionadas con las mascotas han sido presentadas a la Legislatura. La senadora Norma Carranza presentó el Proyecto del Senado 988 para facilitar el establecimiento y operación de refugios regionales de animales y la creación de la Oficina Estatal de Control Animal (OECA). Aparte de proveer albergue temporario, en estos refugios se esterilizarían animales o se hacen eutanasias. La OECA desarrollaría campañas educativas sobre el cuido, manejo, atención y responsabilidad de las personas con sus mascotas.

Fuente 2

Este artículo apareció en el sitio de Internet de *Ecologistas en Acción* el 10 de julio de 2006.

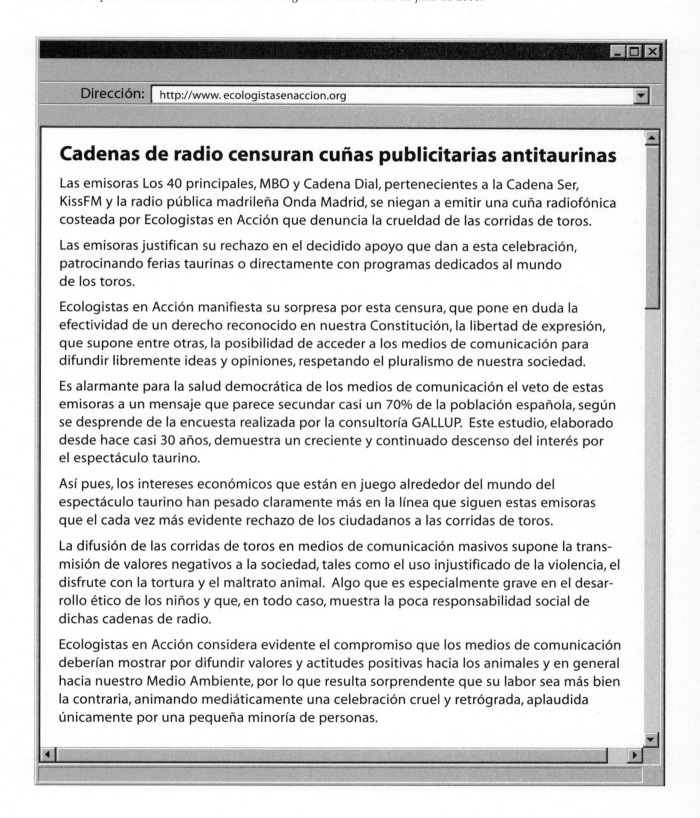

Cadenas de radio censuran cuñas publicitarias antitaurinas

Las emisoras Los 40 principales, MBO y Cadena Dial, pertenecientes a la Cadena Ser, KissFM y la radio pública madrileña Onda Madrid, se niegan a emitir una cuña radiofónica costeada por Ecologistas en Acción que denuncia la crueldad de las corridas de toros.

Las emisoras justifican su rechazo en el decidido apoyo que dan a esta celebración, patrocinando ferias taurinas o directamente con programas dedicados al mundo de los toros.

Ecologistas en Acción manifiesta su sorpresa por esta censura, que pone en duda la efectividad de un derecho reconocido en nuestra Constitución, la libertad de expresión, que supone entre otras, la posibilidad de acceder a los medios de comunicación para difundir libremente ideas y opiniones, respetando el pluralismo de nuestra sociedad.

Es alarmante para la salud democrática de los medios de comunicación el veto de estas emisoras a un mensaje que parece secundar casi un 70% de la población española, según se desprende de la encuesta realizada por la consultoría GALLUP. Este estudio, elaborado desde hace casi 30 años, demuestra un creciente y continuado descenso del interés por el espectáculo taurino.

Así pues, los intereses económicos que están en juego alrededor del mundo del espectáculo taurino han pesado claramente más en la línea que siguen estas emisoras que el cada vez más evidente rechazo de los ciudadanos a las corridas de toros.

La difusión de las corridas de toros en medios de comunicación masivos supone la transmisión de valores negativos a la sociedad, tales como el uso injustificado de la violencia, el disfrute con la tortura y el maltrato animal. Algo que es especialmente grave en el desarrollo ético de los niños y que, en todo caso, muestra la poca responsabilidad social de dichas cadenas de radio.

Ecologistas en Acción considera evidente el compromiso que los medios de comunicación deberían mostrar por difundir valores y actitudes positivas hacia los animales y en general hacia nuestro Medio Ambiente, por lo que resulta sorprendente que su labor sea más bien la contraria, animando mediáticamente una celebración cruel y retrógrada, aplaudida únicamente por una pequeña minoría de personas.

Fuente 3 🔊)))

(AUDIO): El informe, "Ponte en su piel... Sé humano", apareció en la revista *Ecologistas en Acción* el 10 de julio de 2006.

Notas

_____

_____

_____

_____

_____

_____

_____

_____

_____

_____

_____

_____

_____

_____

_____

_____

_____

_____

_____

_____

_____

_____

Exercise 7

Se dice que el estilo de vida de los países industrializados ha aumentado la destrucción de recursos naturales mundialmente. Discute a qué se debe la deforestación que sigue creciendo en varios países del mundo.

Fuente 1

Este artículo por *Greenpeace España* apareció en la página Web *andinia.com* el 19 de mayo de 2006.

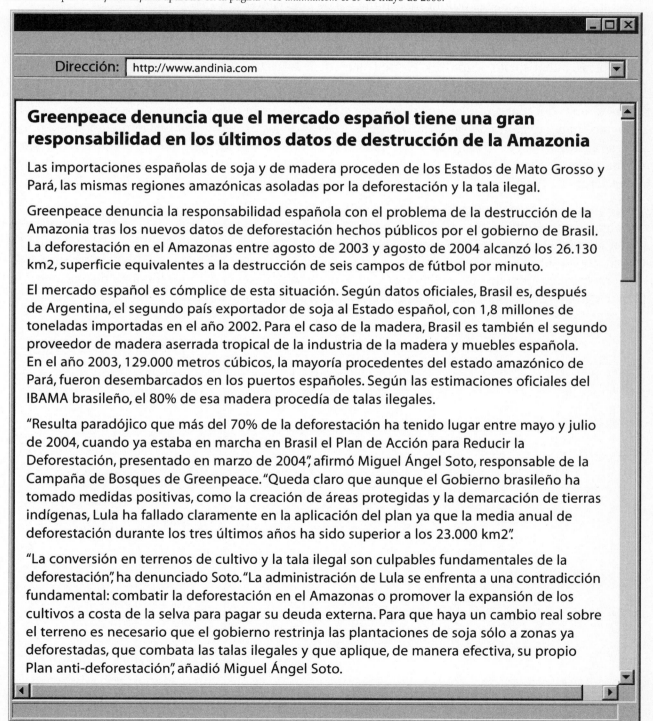

Dirección: http://www.andinia.com

Greenpeace denuncia que el mercado español tiene una gran responsabilidad en los últimos datos de destrucción de la Amazonia

Las importaciones españolas de soja y de madera proceden de los Estados de Mato Grosso y Pará, las mismas regiones amazónicas asoladas por la deforestación y la tala ilegal.

Greenpeace denuncia la responsabilidad española con el problema de la destrucción de la Amazonia tras los nuevos datos de deforestación hechos públicos por el gobierno de Brasil. La deforestación en el Amazonas entre agosto de 2003 y agosto de 2004 alcanzó los 26.130 km2, superficie equivalentes a la destrucción de seis campos de fútbol por minuto.

El mercado español es cómplice de esta situación. Según datos oficiales, Brasil es, después de Argentina, el segundo país exportador de soja al Estado español, con 1,8 millones de toneladas importadas en el año 2002. Para el caso de la madera, Brasil es también el segundo proveedor de madera aserrada tropical de la industria de la madera y muebles española. En el año 2003, 129.000 metros cúbicos, la mayoría procedentes del estado amazónico de Pará, fueron desembarcados en los puertos españoles. Según las estimaciones oficiales del IBAMA brasileño, el 80% de esa madera procedía de talas ilegales.

"Resulta paradójico que más del 70% de la deforestación ha tenido lugar entre mayo y julio de 2004, cuando ya estaba en marcha en Brasil el Plan de Acción para Reducir la Deforestación, presentado en marzo de 2004", afirmó Miguel Ángel Soto, responsable de la Campaña de Bosques de Greenpeace. "Queda claro que aunque el Gobierno brasileño ha tomado medidas positivas, como la creación de áreas protegidas y la demarcación de tierras indígenas, Lula ha fallado claramente en la aplicación del plan ya que la media anual de deforestación durante los tres últimos años ha sido superior a los 23.000 km2".

"La conversión en terrenos de cultivo y la tala ilegal son culpables fundamentales de la deforestación", ha denunciado Soto. "La administración de Lula se enfrenta a una contradicción fundamental: combatir la deforestación en el Amazonas o promover la expansión de los cultivos a costa de la selva para pagar su deuda externa. Para que haya un cambio real sobre el terreno es necesario que el gobierno restrinja las plantaciones de soja sólo a zonas ya deforestadas, que combata las talas ilegales y que aplique, de manera efectiva, su propio Plan anti-deforestación", añadió Miguel Ángel Soto.

Fuente 2

Este artículo apareció en la página Web de *Terra.org* en febrero/marzo de 2002.

La deforestación amenaza la selva de Indonesia

La industria de la madera y el papel están amenazando la supervivencia de los bosques tropicales de Indonesia. Las talas indiscriminadas durante estos últimos años podrían causar, al ritmo actual, la desaparición de los bosques indonesios en menos de cinco años.

Indonesia está considerada la Amazonas de Asia puesto que alberga el 10% de los bosques tropicales del planeta con una de las biodiversidades más altas del planeta. Este archipiélago compuesto de 13.667 islas, aunque sólo ocupa el 1,3% de la superficie terrestre, cuenta con el 10% de las especies de plantas, el 12% de los mamíferos, 16% de los anfibios y reptiles y el 17% de las aves.

En las últimas décadas, entre el 50 y el 70% de los bosques ya han sido esquilmados y el ritmo de tala no parece haber disminuido significativamente, a pesar de los esfuerzos del Gobierno indonesio por obligar a las compañías madereras a reforestar con especies de rápido crecimiento como acacias. Según estimaciones del Banco Mundial, la deforestación en Indonesia destruye anualmente unas dos millones de hectáreas de bosques, un área similar a la superficie de Bélgica.

Un informe del grupo ecologista Amigos de la Tierra indica que los bancos occidentales pueden enfrentarse a multimillonarias pérdidas en cuanto las compañías madereras se queden sin materia prima y no puedan hacer frente a los créditos suscritos. La papelera Asia Pacific Resource Holding LTD (April), cuya central se encuentra en Singapur y cuenta con la mayor fábrica de papel a nivel mundial en Sumatra, considera que para el año 2008 el 90% de su materia prima procederá de plantaciones, pero los grupos ecologistas avisan que entonces ya será demasiado tarde.

Fuente 3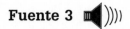

(AUDIO): Este informe, que se titula "Los bosques", se emitió por *Radio Nacional de España*.

Notas

_____

_____

_____

_____

_____

_____

_____

_____

_____

_____

_____

_____

_____

_____

_____

_____

_____

_____

_____

_____

_____

Exercise 8

¿Cómo la tecnología ha cambiado la prensa escrita?

Fuente 1

Este artículo por María José López Pourailly apareció en *Red Universitaria Nacional* en abril de 2002.

Periodismo digital

"El advenimiento de Internet ha propiciado en el decenio de 1990 una revolución tecnológica que está modificando por completo los procesos de acceso, elaboración y difusión de la información. El éxito mundial de la Red supone en este sentido el principal factor de cambio para el futuro de las profesiones de la comunicación, y en particular del periodismo, pues atañe a su materia prima: la información. El ritmo de esta revolución, además, está siendo más vertiginoso que nunca. La radio necesitó 38 años antes de alcanzar los 50 millones de oyentes, en tanto que la televisión precisó de 13 años para alcanzar la misma cifra. Internet, en apenas cuatro años (desde 1991 hasta 1995), alcanzo más de 50 millones de usuarios en todo el mundo".

Los periodistas de la sociedad de la información, los periodistas digitales, deben ser profesionales versátiles y con criterio, centrados en la mejora de la calidad de la información periodística gracias a las mayores posibilidades de documentación, amplitud, análisis y rapidez que propician los recursos digitales. La labor del periodista digital no se reduce a la elaboración de publicaciones digitales, no es únicamente la elaboración de contenidos su trabajo. El trabajo del periodista digital es, cada vez más, la gestión de la información; esto es, el análisis y jerarquía de la misma. Y es que sucede que, con Internet, el problema ya no es encontrar información, sino distinguir lo significativo de lo irrelevante, en un mar inmenso de contenidos.

Aquí es preciso señalar ciertos aspectos básicos que debe conocer el periodista digital: 1. La información ya no es un bien escaso, de hecho sobreabunda. 2. La información que está fuera de la Red es muy importante y valiosa. Mediante ésta el periodista digital puede ofrecer un gran servicio a la comunidad. 3. El periodista digital puede y debe dar el acceso a las fuentes originales. 4. El periodista digital ha de valorar la información, si selecciona opina, y también cuenta la opinión de los lectores. 5. El periodista digital ha de contextualizar y actualizar los contenidos. 6. Siempre se debe tener en cuenta que Internet es interactivo, por lo tanto, todo el mundo puede contactar con todo el mundo; si es que está en la Red, todo es evidente y alcanzable; cualquiera que sea que esté frente a un computador con conexión a Internet es un potencial informador, informante y editor.

Retos de las Nuevas Tecnologías para el Periodista Digital:

1. Aprender el uso y los beneficios de las nuevas tecnologías y los recursos de Internet. 2 Proporcionar el contexto mediante la propia investigación directa y el resultado de nuestras búsquedas en Internet, respetando el derecho de autor. 3 Dada la imposibilidad de controlar y certificar la veracidad de los trabajos que se publican en la Red, es primordial aprender a reconocer en ella aquellas fuentes fidedignas y serias, y separarlas de lo que es información no contrastada, imprecisa, no consecuente o falsa.

Fuente 2

Este artículo por María Heidi Trujillo Fernández y Fernando Ramón Contreras apareció en la revista electrónica *Razón y Palabra* en junio/julio de 2002.

Periodismo digital y discurso científico: Nuevos modelos para el siglo XXI

La verdadera transformación del periodismo en este siglo XXI la provoca el ordenador. La autoedición y los procesos de informatización en la gestión de la información fueron los primeros pasos. El desarrollo de programas (o software) que manipulaban tanto los gráficos como los textos (maquetación electrónica) simplificaron la creación periodística. Ya no era necesaria la intervención especializada de diseñadores y montadores de textos o por los menos, la profesión era renovada por individuos que no poseían una formación directa en artes gráficas.

No obstante, los periódicos se encuentran en una primera fase de tecnificación. Los ordenadores son máquinas que auxilian los complicados y lentos procesos tradicionales de producción. En esta primera fase, no surgen cambios significativos en el periodismo. Según lo expuesto, éstos sólo afectan a la creación y producción del producto: el periódico.

Ahora bien, los verdaderos cambios vienen de la mano de tímidas experiencias que no terminan por asentarse, pero que desembocarán en la siguiente fase: "el periodismo electrónico".

Desde el principio existe la conciencia de que es un soporte diferente que exige que la información reciba un tratamiento especial. La influencia del medio sobre el mensaje es trascendental en el periodismo digital. El periódico en red ("on line") es un modelo incompleto precisamente por los continuos e interminables cambios tecnológicos.

Fuente 3 🔊)))

(AUDIO): Este informe, que se titula "El periodismo digital", se emitió por *Radio Nacional de España*.

Notas

_____

_____

_____

_____

_____

_____

_____

_____

Exercise 9

¿Qué harías para erradicar el trabajo infantil si tuvieras el poder?

Fuente 1

Este artículo apareció en el periódico digital colombiano *El País* el 29 de marzo de 2006.

Dirección: http://www.elpais.com.co

Niños hacen 'maromas' para vivir

Jeison tiene una carita angelical, pero un corazón triste. Sus ojos son grandes y negros, pero se mantienen apagados. Ya mudó los dientes, aunque no le gusta mostrarlos. Es un niño, pero parece un adulto. Es tímido, serio y no le gusta jugar ni a la 'lleva' ni con los carros.

En su cabecita no hay más espacio que para pensar cuántos dulces tiene que vender en la esquina de la Avenida 3N con Calle 44 para alimentar a su madre y su hermanito menor, quienes viven en una humilde casa del barrio Mojica.

Jeison ya perdió el interés por ir al colegio. No ve qué beneficio le pueda aportar. "Allá uno no gana plata", dice el pequeño. Sus compañeros de esquina replican lo mismo. Incluso, dicen que es más "bacano" estar "camellando" que darse tumbos frente a un libro.

La dura realidad que se vive en las calles está marcada en los rostros de 1.645 niños.

Ése es el número de menores de edad que, según un censo realizado por el Dane, la Secretaría de Desarrollo y la Fundación FES Social, trabajan en las calles de la capital del Valle.

Pero lo que más preocupa es que el nivel educativo de los menores de edad es muy bajo. Sólo un 48,9% asiste a un establecimiento educativo, lo cual, cita el informe, "aumenta el riesgo de que se conviertan en habitantes de la calle".

Estos niños cambiaron los libros y los cuadernos por las ventas ambulantes. Precisamente, el 51,1% se dedica a este oficio. Un 9% pide o mendiga dinero.

El drástico cambio obedece a que muchos de los pequeños (65%) dijeron tener problemas económicos.

"Otro de los puntos críticos es que muchos de estos menores están en la calle porque son maltratados", explicó María Cristina Zapata, Secretaria de Desarrollo Territorial.

Fuente 2

Este artículo apareció en la página Web de *Univisión* el 22 de julio de 2004.

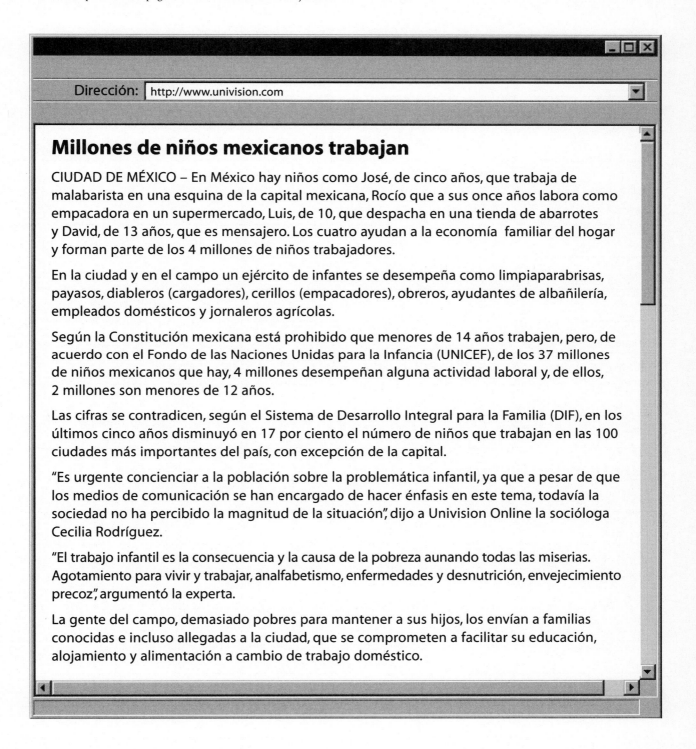

Millones de niños mexicanos trabajan

CIUDAD DE MÉXICO – En México hay niños como José, de cinco años, que trabaja de malabarista en una esquina de la capital mexicana, Rocío que a sus once años labora como empacadora en un supermercado, Luis, de 10, que despacha en una tienda de abarrotes y David, de 13 años, que es mensajero. Los cuatro ayudan a la economía familiar del hogar y forman parte de los 4 millones de niños trabajadores.

En la ciudad y en el campo un ejército de infantes se desempeña como limpiaparabrisas, payasos, diableros (cargadores), cerillos (empacadores), obreros, ayudantes de albañilería, empleados domésticos y jornaleros agrícolas.

Según la Constitución mexicana está prohibido que menores de 14 años trabajen, pero, de acuerdo con el Fondo de las Naciones Unidas para la Infancia (UNICEF), de los 37 millones de niños mexicanos que hay, 4 millones desempeñan alguna actividad laboral y, de ellos, 2 millones son menores de 12 años.

Las cifras se contradicen, según el Sistema de Desarrollo Integral para la Familia (DIF), en los últimos cinco años disminuyó en 17 por ciento el número de niños que trabajan en las 100 ciudades más importantes del país, con excepción de la capital.

"Es urgente concienciar a la población sobre la problemática infantil, ya que a pesar de que los medios de comunicación se han encargado de hacer énfasis en este tema, todavía la sociedad no ha percibido la magnitud de la situación", dijo a Univision Online la socióloga Cecilia Rodríguez.

"El trabajo infantil es la consecuencia y la causa de la pobreza aunando todas las miserias. Agotamiento para vivir y trabajar, analfabetismo, enfermedades y desnutrición, envejecimiento precoz", argumentó la experta.

La gente del campo, demasiado pobres para mantener a sus hijos, los envían a familias conocidas e incluso allegadas a la ciudad, que se comprometen a facilitar su educación, alojamiento y alimentación a cambio de trabajo doméstico.

Fuente 3 🔊)))))

(AUDIO): Este informe, que se titula "América Latina encabeza la reducción del trabajo infantil, dice la O.I.T.", se emitió por *Radio Naciones Unidas* el 4 de mayo de 2006.

Notas

_____

_____

_____

_____

_____

_____

_____

_____

_____

_____

_____

_____

_____

_____

_____

_____

_____

_____

_____

_____

Exercise 10

Discute algunas razones por las cuales tantas aspirantes latinas han ganado concursos de belleza internacionales.

Fuente 1

Este artículo, por la *Agencia EFE*, apareció en el periódico digital *El Tiempo* de Venezuela el 2 de julio de 2006.

El idioma une a las hispanas en el Miss Universo

A la hora de convertirse en "Miss Universo", además de la belleza que aúna a las 85 participantes que compiten el próximo 23 de julio por la corona, las aspirantes hispanas cuentan con un arma en común: el idioma.

"Las latinas tenemos una hermandad muy grande", confesó "Miss Chile", Belén Montilla.

"Está claro que todas son muy guapas y que aún nos queda mucho que trabajar pero entre las hispanas nos hemos sabido complementar mucho", añade exultante de participar en esta competición anual que en esta ocasión se celebra en la ciudad de Los Ángeles.

La ciudad significa también mucho para las candidatas hispanas, en especial para "Nuestra Belleza México 2005", Priscila Perales. La joven de Monterrey, de 23 años de edad, se siente como en casa en la ciudad con mayor número de mexicanos fuera del país azteca y con un alcalde, Antonio Villaraigosa, oriundo de su país.

"Cada vez que me cruzo con mis compatriotas me echan "porras" y besos", detalla de los cumplidos recibidos aunque sin especificar si Villaraigosa estuvo entre los aduladores.

Fuente 2

Este artículo apareció en la página Web de *Univisión* en el año 2006.

Unidas por un solo idioma
Las latinas de Miss Universo 2006

Sin lugar a dudas, año con año en el certamen más importante de belleza, las latinas se hacen notar gracias a sus cualidades físicas, a su inteligencia y su buen desempeño en el evento. El ejemplo más claro fue la final de Miss Universo 2005, donde cuatro latinas se hicieron presentes.

Empezando por Argentina y finalizando en Venezuela, por orden alfabético, las 19 concursantes hispanoamericanas se sienten capaces de llegar a la final de Miss Universo 2006 y poner muy en alto el nombre de su país.

Jóvenes, bellas, inteligentes y sobre todo con sus metas muy en claro, las bellas mujeres ya son reinas en cada uno de sus lugares de origen. En los últimos años todo lo relacionado a Latinoamérica ha tomado gran fuerza, ya sea dentro del mundo de la música, la actuación, y los deportes.

Y en cuanto a la belleza se refiere, cabe recordar que 19 latinas se han coronado como la mujer más hermosa del universo.

Fuente 3 🔊)))

(AUDIO): El informe,"El orgullo de tener mujeres bellas: Un triunfo que se siente fuera de Puerto Rico", apareció en *La Palma y The Palm Beach Post* el 28 de julio de 2006.

Notas

_____

_____

_____

_____

_____

_____

_____

_____

_____

_____

_____

_____

_____

_____

_____

_____

_____

_____

_____

_____

_____

Exercise 11

¿Cómo podría la tecnología mejorar la vida de los pobres?

Fuente 1

Este artículo apareció en *Proyecto del Milenio de las Naciones Unidas* en enero de 2006.

Los países pobres deben invertir en ciencia y tecnología

"Equipo de Tareas" sostiene que la promoción de la innovación tecnológica es un arma poderosa para combatir la pobreza. 17 de enero de 2005, Nueva York— Es probable que los países en desarrollo queden estancados en la pobreza a menos que puedan hacer lo mismo que los países desarrollados para lograr el crecimiento sostenible: incorporar la ciencia, la tecnología y la innovación en sus estrategias económicas. No obstante, no se reconoce la importancia de la ciencia y la tecnología ni se les asigna la prioridad que merecen en lo que hace a la asistencia internacional.

Según el informe del "Equipo de Tareas" sobre ciencia, tecnología e innovación del Proyecto del Milenio de las Naciones Unidas, Innovación: Aplicación de los conocimientos para el desarrollo, la solución reside en centrar la atención en un mayor uso de la ciencia y la tecnología nuevas en los países en desarrollo — acelerando el desarrollo y la utilización de medicamentos, productos electrónicos y técnicas agrícolas mejorados — como forma de reducir la pobreza y el sufrimiento humanos.

El informe del "Equipo de Tareas" es parte de un plan de acción mundial pormenorizado de lucha contra la pobreza, la enfermedad y la degradación del medio ambiente en los países en desarrollo. Fue preparado por un equipo de expertos en ciencia y tecnología de países desarrollados y en desarrollo dirigido por Dato'Ir Lee Yee-Cheong, presidente de la Federación Mundial de Organizaciones de Ingenieros (FMOI) y el Profesor Calestous Juma, profesor de práctica del desarrollo internacional de la Kennedy School of Government de la Universidad de Harvard.

El "Equipo de Tareas" sobre ciencia, tecnología e innovación ha investigado durante los últimos dos años la forma en que los países desarrollados y en desarrollo utilizan eficazmente la ciencia y la tecnología para transformar sus economías. El "Equipo de Tareas" se ocupó especialmente de las consecuencias prácticas, tanto de las tecnologías existentes como de las más novedosas, lo cual incluyó el establecimiento de un grupo de trabajo especial sobre genómica y nanotecnología.

Fuente 2

Este artículo apareció en la sección de economía de *BBC Mundo* el 10 de julio de 2001.

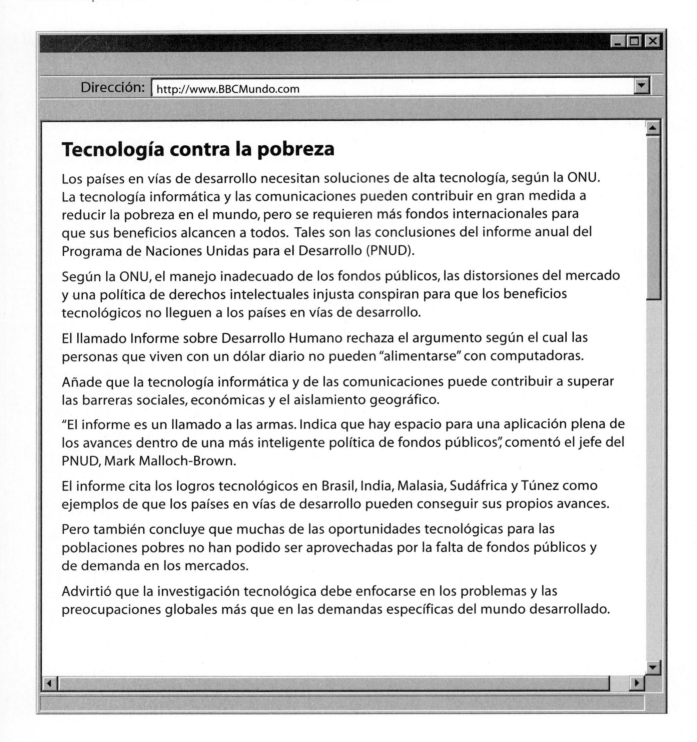

Tecnología contra la pobreza

Los países en vías de desarrollo necesitan soluciones de alta tecnología, según la ONU. La tecnología informática y las comunicaciones pueden contribuir en gran medida a reducir la pobreza en el mundo, pero se requieren más fondos internacionales para que sus beneficios alcancen a todos. Tales son las conclusiones del informe anual del Programa de Naciones Unidas para el Desarrollo (PNUD).

Según la ONU, el manejo inadecuado de los fondos públicos, las distorsiones del mercado y una política de derechos intelectuales injusta conspiran para que los beneficios tecnológicos no lleguen a los países en vías de desarrollo.

El llamado Informe sobre Desarrollo Humano rechaza el argumento según el cual las personas que viven con un dólar diario no pueden "alimentarse" con computadoras.

Añade que la tecnología informática y de las comunicaciones puede contribuir a superar las barreras sociales, económicas y el aislamiento geográfico.

"El informe es un llamado a las armas. Indica que hay espacio para una aplicación plena de los avances dentro de una más inteligente política de fondos públicos", comentó el jefe del PNUD, Mark Malloch-Brown.

El informe cita los logros tecnológicos en Brasil, India, Malasia, Sudáfrica y Túnez como ejemplos de que los países en vías de desarrollo pueden conseguir sus propios avances.

Pero también concluye que muchas de las oportunidades tecnológicas para las poblaciones pobres no han podido ser aprovechadas por la falta de fondos públicos y de demanda en los mercados.

Advirtió que la investigación tecnológica debe enfocarse en los problemas y las preocupaciones globales más que en las demandas específicas del mundo desarrollado.

Fuente 3 🔊)))

(AUDIO): Este informe, que se titula "Los más pobres piden su lugar en la Sociedad de la Información", se emitió por *Radio Naciones Unidas* el 17 de mayo de 2006.

Notas

_____

_____

_____

_____

_____

_____

_____

_____

_____

_____

_____

_____

_____

_____

_____

_____

_____

_____

_____

_____

_____

Exercise 12

Discute la influencia que tiene el tema de la seguridad en el turismo latinoamericano.

Fuente 1

Este artículo, por la *Agencia EFE*, apareció en el periódico digital español *El País* el 4 de junio de 2006.

América Latina concluye que la idea de seguridad es clave para promover el turismo en la región

EFE-Málaga. La necesidad de mejorar los niveles de estabilidad y seguridad de los destinos latinoamericanos para favorecer el turismo ha sido una de las principales conclusiones extraídas de la primera Feria de Turismo, Arte y Cultura de América Latina en Europa (Eurocotal), desarrollada desde el pasado jueves en Torremolinos (Málaga).

La Confederación de Organizaciones Turísticas de América Latina (COTAL) ha incluido esta recomendación dentro del informe de medidas correctoras que el colectivo hará llegar a sus respectivos gobiernos e instituciones públicas con competencias en materia de turismo, según ha informado este sábado en un comunicado el Palacio de Congresos y Exposiciones de la Costa del Sol, encargado de acoger el evento.

El secretario de COTAL, Luis Felipe Aquino, ha señalado que "el calado en el mercado europeo de mensajes que cuestionan la estabilidad social y política de América Latina pueden dar al traste con las expectativas de crecimiento turístico".

Los operadores latinos han concluido, a raíz de las observaciones de sus homónimos europeos, que los "actuales déficit" se deben a la falta de "la transmisión de una idea global de ser destinos seguros, una mayor educación e implicación de todos los sectores sociales o unos adecuados planes de promoción y comercialización".

La urgencia de implantar en estos países las ventajas de las nuevas tecnologías y la necesidad de hacer un mayor aprovechamiento de su potencial como destino del segmento de viajes de congresos e incentivos, han sido otros de los factores más señalados a la hora de optimizar la actividad turística latinoamericana.

Fuente 2

Este artículo apareció en la página Web de *Rel-UITA* el 23 de noviembre de 2004.

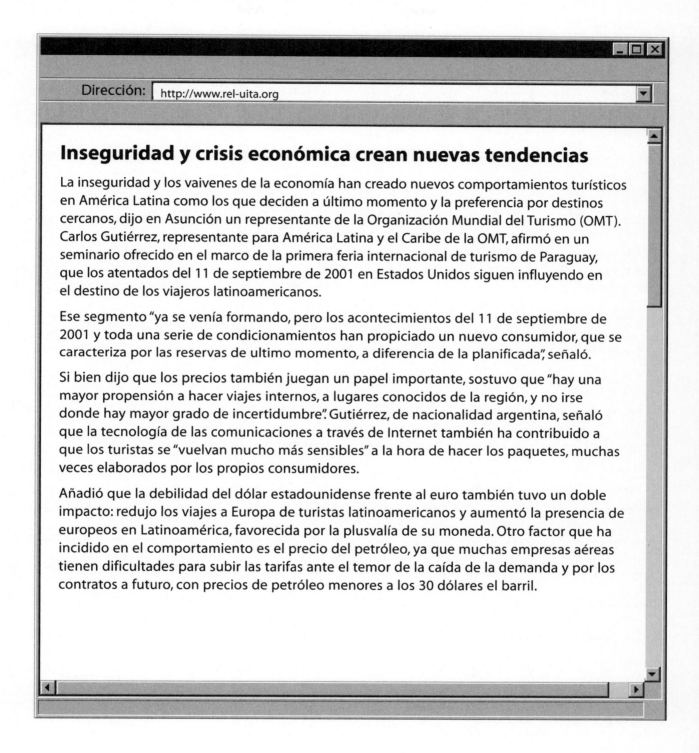

Dirección: http://www.rel-uita.org

Inseguridad y crisis económica crean nuevas tendencias

La inseguridad y los vaivenes de la economía han creado nuevos comportamientos turísticos en América Latina como los que deciden a último momento y la preferencia por destinos cercanos, dijo en Asunción un representante de la Organización Mundial del Turismo (OMT). Carlos Gutiérrez, representante para América Latina y el Caribe de la OMT, afirmó en un seminario ofrecido en el marco de la primera feria internacional de turismo de Paraguay, que los atentados del 11 de septiembre de 2001 en Estados Unidos siguen influyendo en el destino de los viajeros latinoamericanos.

Ese segmento "ya se venía formando, pero los acontecimientos del 11 de septiembre de 2001 y toda una serie de condicionamientos han propiciado un nuevo consumidor, que se caracteriza por las reservas de ultimo momento, a diferencia de la planificada", señaló.

Si bien dijo que los precios también juegan un papel importante, sostuvo que "hay una mayor propensión a hacer viajes internos, a lugares conocidos de la región, y no irse donde hay mayor grado de incertidumbre". Gutiérrez, de nacionalidad argentina, señaló que la tecnología de las comunicaciones a través de Internet también ha contribuido a que los turistas se "vuelvan mucho más sensibles" a la hora de hacer los paquetes, muchas veces elaborados por los propios consumidores.

Añadió que la debilidad del dólar estadounidense frente al euro también tuvo un doble impacto: redujo los viajes a Europa de turistas latinoamericanos y aumentó la presencia de europeos en Latinoamérica, favorecida por la plusvalía de su moneda. Otro factor que ha incidido en el comportamiento es el precio del petróleo, ya que muchas empresas aéreas tienen dificultades para subir las tarifas ante el temor de la caída de la demanda y por los contratos a futuro, con precios de petróleo menores a los 30 dólares el barril.

Fuente 3 🔊)))

(AUDIO): Este informe, que se titula "El turismo en América Latina madura y crece", se emitió por *Radio Naciones Unidas* el 7 de noviembre de 2005.

Notas

_____

_____

_____

_____

_____

_____

_____

_____

_____

_____

_____

_____

_____

_____

_____

_____

_____

_____

_____

Exercise 13

Muchos emigrados envían dinero a sus países de origen. Evalúa las consecuencias positivas y negativas de estas remesas.

Fuente 1

Este artículo apareció en *Americaeconomica.com* el 23 de marzo de 2005.

Las remesas de divisas hacia Latinoamérica alcanzaron los 45.000 millones en 2004

Las remesas de divisas enviadas por los emigrantes latinoamericanos y caribeños a sus países de origen se incrementaron un 18,42% en 2004 con respecto al año 2003. Durante el pasado año las remesas ascendieron a más de 45.000 millones de dólares (34.390 millones de euros), frente a los 38.000 millones de dólares (29.040 millones de euros) de 2003.

La cifra supera la suma de toda la inversión extranjera directa y la ayuda oficial para el desarrollo, según un informe del Banco Interamericano de Desarrollo (BID). El número de inmigrantes latinoamericanos que vive y trabaja fuera de sus países de origen supera los 25 millones, de los cuales 16 millones envían un promedio de entre 200 y 300 dólares (152 y 229 euros) mensuales a sus lugares de origen.

Del total de los emigrantes latinoamericanos, 18 millones viven en EE. UU. y envían remesas por valor de 34.000 millones de dólares (25.983 millones de euros), lo que supone el 75% del total de las remesas enviadas.

Según este último informe del BID, México encabeza la lista de países receptores de remesas con más de 16.600 millones de dólares (12.686 millones de euros). Cifra que supone un aumento del 25% respecto al año 2003 y que ha contribuido a generar tensión en las relaciones políticas entre EE. UU. y el país latinoamericano.

Europa acoge a 2,5 millones de latinoamericanos, la mayor parte de ellos instalados en España. Las sumas enviadas desde el Viejo Continente empiezan a cobrar importancia, una tendencia que puede incrementarse ahora gracias a la nueva política migratoria aplicada por el Gobierno de José Luis Rodríguez Zapatero, que permite la regularización de todos los inmigrantes con contrato de trabajo. De hecho, fuentes bancarias han asegurado a Americaeconomica.com que esperan un aumento de la clientela que les proporciona este segmento de la población y preparan nuevas ofertas específicas en hipotecas y créditos al consumo.

Fuente 2

Este artículo, por la *Agencia EFE,* apareció en la página Web de *Univisión* el 5 de diciembre de 2005.

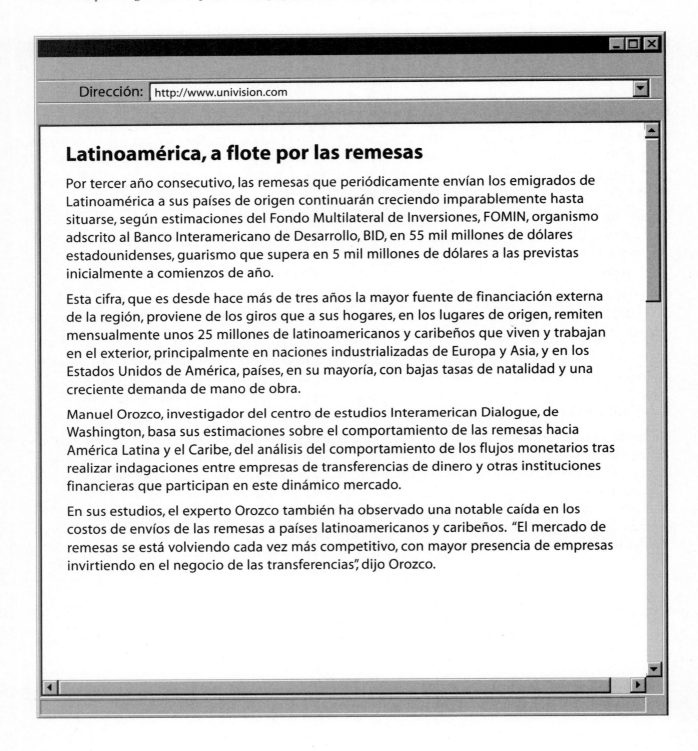

Dirección: http://www.univision.com

Latinoamérica, a flote por las remesas

Por tercer año consecutivo, las remesas que periódicamente envían los emigrados de Latinoamérica a sus países de origen continuarán creciendo imparablemente hasta situarse, según estimaciones del Fondo Multilateral de Inversiones, FOMIN, organismo adscrito al Banco Interamericano de Desarrollo, BID, en 55 mil millones de dólares estadounidenses, guarismo que supera en 5 mil millones de dólares a las previstas inicialmente a comienzos de año.

Esta cifra, que es desde hace más de tres años la mayor fuente de financiación externa de la región, proviene de los giros que a sus hogares, en los lugares de origen, remiten mensualmente unos 25 millones de latinoamericanos y caribeños que viven y trabajan en el exterior, principalmente en naciones industrializadas de Europa y Asia, y en los Estados Unidos de América, países, en su mayoría, con bajas tasas de natalidad y una creciente demanda de mano de obra.

Manuel Orozco, investigador del centro de estudios Interamerican Dialogue, de Washington, basa sus estimaciones sobre el comportamiento de las remesas hacia América Latina y el Caribe, del análisis del comportamiento de los flujos monetarios tras realizar indagaciones entre empresas de transferencias de dinero y otras instituciones financieras que participan en este dinámico mercado.

En sus estudios, el experto Orozco también ha observado una notable caída en los costos de envíos de las remesas a países latinoamericanos y caribeños. "El mercado de remesas se está volviendo cada vez más competitivo, con mayor presencia de empresas invirtiendo en el negocio de las transferencias", dijo Orozco.

Fuente 3 🔊))))

(AUDIO): Este informe, que se titula "Remesas en América Latina: No todo lo que brilla es oro", se emitió por *Radio Naciones Unidas* el 2 de diciembre de 2005.

Notas

_____

_____

_____

_____

_____

_____

_____

_____

_____

_____

_____

_____

_____

_____

_____

_____

_____

_____

_____

Exercise 14

Explica cómo se justifica el orgullo que muchos latinos sienten por la presencia hispana en el programa espacial.

Fuente 1

Este artículo apareció en el periódico digital *Tiempos del Mundo* en julio de 2005.

Latinos que conquistaron las estrellas

El primer aterrizaje del hombre en la Luna, el 20 de julio de 1969, marcó un antes y un después en la historia de la humanidad. Las imágenes de Neil Armstrong bajando del Apolo 11 y poniendo el primer paso en la superficie lunar se convirtieron en uno de los mayores sueños de millones de personas alrededor del mundo.

Desde ese entonces, hasta nuestros días, la Administración Nacional de EE.UU. para la Aeronáutica y el Espacio (Nasa) ha realizado muchas travesías al cosmos y ha efectuado infinidad de investigaciones científicas de diverso tipo fuera de la órbita terrestre, experimentos sobre el comportamiento humano, los procesos de envejecimiento, la ley de la gravedad, biotecnología, entre muchos otros.

Varios astronautas de origen latino han participado en esos experimentos espaciales dejando muy en alto el nombre de Latinoamérica en el mundo entero. Aparte del costarricense Franklin Chang-Díaz, que abrió el camino a otros latinos dentro de la Nasa en 1980, la mayoría de los cosmonautas hispanos comenzaron sus carreras dentro de esa agencia en la década de los 90. Otros dos fueron seleccionados recientemente entre 11 finalistas de un contingente de 99 aspirantes a astronautas para la Clase 2004.

Uno de esos astronautas hispanos es el teniente coronel Carlos L. Noriega, nacido en Lima, Perú, y quien desde 1995 hace parte del programa espacial estadounidense como Especialista de Misiones. "Desde que vi a Armstrong caminando en la Luna quería ser astronauta, pero no pensé que era posible porque era un chico que apenas había llegado a este país y estaba comenzando a hablar inglés. Pero en EE.UU. no debes tener miedo de soñar porque cualquier cosa es posible. Si trabajas fuerte y lo quieres es suficiente, no hay paredes o barreras que te paren, que te detengan."

En la actualidad hay 94 cosmonautas activos dentro de la Nasa, 41 astronautas en actividades administrativas y 15 astronautas internacionales. Los latinos suman 13 en total, incluyendo a Ellen Ochoa, la única mujer hispana en ir al espacio, y a dos aspirantes a astronautas que se encuentran en pleno entrenamiento. También hay un astronauta jubilado y dos pertenecientes a la agencia espacial internacional.

Fuente 2

Este artículo apareció en *El Diario La Prensa* en línea en julio de 2006.

Hispanas en la NASA, una historia de éxitos

La familia de Ellen Ochoa siempre supo que ella iba a llegar muy lejos. Pero posiblemente ni ella misma imaginó el "despegue" que iba a tener su vida profesional y "la altura" de sus conquistas.

El 4 de abril de 1993 esta doctora en electrónica, nacida en California y nieta de inmigrantes mexicanos, se convirtió en la primera mujer hispana a bordo de una misión espacial.

Ochoa se volvió inmediatamente un símbolo y una inspiración no sólo para todos los hispanos, sino también para millones de mujeres en todo el mundo.

En total, lleva ya cuatro viajes espaciales y decenas de condecoraciones y premios a su labor científica. Pero cuando se trata de reconocer los méritos de su éxito siempre recuerda la decisión de sus abuelos de venir a este país y su amor por el estudio.

Ochoa es la latina más célebre de la agencia espacial, pero no es la única. De hecho, hay una larga lista de nuestras representantes ocupando puestos clave en distintos departamentos y poniendo en alto el nombre de la hispanidad.

Adriana Cárdenas, jefe del Programa de Oportunidad Equitativa en el Centro de Investigaciones Ames de NASA, comparte una historia similar a la de Ochoa: sus abuelos paternos también eran mexicanos y su dedicación al estudio fue la que finalmente le abrió las puertas de una de las dependencias gubernamentales más exigentes y exitosas.

"Se puede entrar de muchas formas. NASA busca gente de todos los perfiles, desde secretarias y contadores hasta científicos e ingenieros", señala Cárdenas.

"Dependiendo de la posición, buscamos desde graduados de la universidad con títulos de bachillerato hasta doctores, pero mientras más estudios se tengan es mejor", agrega esta abogada especialista en derechos civiles.

A pesar de que la ley federal obliga a la oportunidad igualitaria de empleo, independientemente del sexo, la raza o la religión, los hispanos somos el grupo minoritario menos representado en NASA.

Y en esa proporción, el número de mujeres hispanas en NASA también es mucho menor en relación a los hombres hispanos. Por ejemplo, Ochoa es la primera y única astronauta hispana, pero en cambio ha habido ya cuatro astronautas hispanos varones.

Por esta razón, Cárdenas impulsa diversos programas para atraer la atención por igual, tanto de las mujeres como de los hombres latinos, para que se fijen en NASA.

(AUDIO): Este informe, que se titula"Astronauta abre una puerta al cielo", apareció en la página Web de *Tierramérica* el 30 de enero de 2006.

Notas

_____

_____

_____

_____

_____

_____

_____

_____

_____

_____

_____

_____

_____

_____

_____

_____

_____

_____

_____

_____

_____

_____

Speaking

Unit 9 Informal Speaking (Simulated Conversation)

Introduction/Explanation:

The speaking portion of the exam consists of two parts: an informal, simulated conversation and a formal oral presentation. Each segment comprises ten percent of the total AP exam grade, and together take approximately 20 minutes of exam time. In the simulated conversation, the student responds to a series of five or six prompts, each one within a 20 second time limit. The prompts and student responses, when taken together, form a complete conversation. The formal component requires that the student interpret authentic written texts and spoken language, prior to taking a stand on the issue presented in the prompt. The response must be presentational in nature, and refer to statements made in the sources.

As in past exam formats, scoring is based on the ability of the student to demonstrate a sustained level of performance.

Test-Taking Strategies for the Student:

1. There are no correct answers in this section, but responses must follow the natural course of the conversation.
2. Be sure to fill the entire 20 second allotment, even if you must repeat or rephrase what you have already said.
3. Do not be concerned if the conversation continues before you have finished your speech.
4. Be mindful of pronunciation, grammatical structures and suitable vocabulary.

DIRECTIONS: You will now participate in a simulated conversation. First, you will have 30 seconds to read the outline of the conversation. Then you will listen to a message and have one minute to read again the outline of the conversation. Afterward, the conversation will begin, following the outline. Each time it is your turn, you will have 20 seconds to respond; a tone will indicate when you should begin and end speaking. You should participate in the conversation as fully and appropriately as possible.

INSTRUCCIONES: Ahora participarás en una conversación simulada. Primero, tendrás 30 segundos para leer el esquema de la conversación. Entonces, escucharás un mensaje y tendrás un minuto para leer de nuevo el esquema de la conversación. Después, empezará la conversación, siguiendo el esquema. Siempre que te toque, tendrás 20 segundos para responder; una señal te indicará cuándo debes empezar y terminar de hablar. Debes participar en la conversación de la manera más completa y apropiada posible.

Exercise 1

Imagina que escuchas un reportaje de radio sobre los Juegos Olímpicos, y que luego te reúnes con tu amigo Luis. Escucha el reportaje.

(a) El reportaje
[*You will hear the report on the recording.*
Escucharás el reportaje en la grabación.]

(b) La conversación
[*The shaded lines reflect what you will hear on the recording.*
Las líneas en gris reflejan lo que escucharás en la grabación.]

Luis:	Te saluda.
Tú:	Salúdalo. Dile un resumen de lo que has oído. Pregúntale si lo ha oído él.
Luis:	Te ofrece su opinión general sobre el torneo de fútbol.
Tú:	Expresa tu reacción.
Luis:	Continúa la conversación.
Tú:	Expresa tu reacción. Invítalo a discutir más el tema en un restaurante.
Luis:	Continúa la conversación.
Tú:	Finaliza los planes.
Luis:	Expresa su reacción.

Exercise 2

Imagina que recibes un mensaje telefónico de la tienda donde habías pedido una computadora. Escucha el mensaje.

(a) El mensaje
[*You will hear the message on the recording.*
Escucharás el mensaje en la grabación.]

(b) La conversación
[*The shaded lines reflect what you will hear on the recording.*
Las líneas en gris reflejan lo que escucharás en la grabación.]

Dependienta:	[El teléfono suena.] Contesta el teléfono.
Tú:	Salúdala. Explica por qué tú has llamado.
Dependienta:	Te explica por qué te había hecho la llamada original.
Tú:	Expresa tu reacción.
Dependienta:	Trata de convencerte de comprar otro producto similar.
Tú:	Expresa tu reacción. Insiste en el producto originalmente pedido.
Dependienta:	Continúa la conversación.
Tú:	Llega a un acuerdo. Despídete.
Dependienta:	Se despide. Cuelga el teléfono.

Exercise 3

Imagina que escuchas un anuncio en la radio para billetes de un concierto. Escucha el anuncio.

(a) El anuncio
[*You will hear the commercial on the recording.*
Escucharás el anuncio en la grabación.]

(b) La conversación
[*The shaded lines reflect what you will hear on the recording.*
Las líneas en gris reflejan lo que escucharás en la grabación.]

Recepcionista:	[El teléfono suena.] Contesta el teléfono.
Tú:	Salúdala. Explica que te ha interesado el anuncio y que quieres comprar dos billetes.
Recepcionista:	Explica el problema.
Tú:	Expresa tu reacción. Trata de negociar para lograr dos billetes.
Recepcionista:	Continúa la conversación.
Tú:	Expresa tu reacción. No compres nada todavía.
Recepcionista:	Continúa la conversación.
Tú:	Deja la conversación sin comprar. Despídete.
Recepcionista:	Se despide. Cuelga el teléfono.

Exercise 4

Imagina que recibes un mensaje telefónico de tu hermano, quien te pide que lo llames lo antes posible. Escucha el mensaje.

(a) El mensaje
   [*You will hear the message on the recording.*
   Escucharás el mensaje en la grabación.]

(b) La conversación
   [*The shaded lines reflect what you will hear on the recording.*
   Las líneas en gris reflejan lo que escucharás en la grabación.]

Tu hermano:	[El teléfono suena.] Contesta el teléfono.
Tú:	Salúdalo. Explícale por qué lo has llamado.
Tu hermano:	Explica por qué te había hecho la llamada original.
Tú:	Expresa tu reacción. Haz unas sugerencias.
Tu hermano:	Continúa la conversación.
Tú:	Expresa unas ideas sobre el tema.
Tu hermano:	Continúa la conversación.
Tú:	Ofrece un comentario final. Despídete.
Tu hermano:	Se despide. Cuelga el teléfono.

Exercise 5

Imagina que escuchas un anuncio en el aeropuerto, y decides llamar a tu madre. Escucha el anuncio.

(a) El anuncio
[*You will hear the announcement on the recording.*
Escucharás el anuncio en la grabación.]

(b) La conversación
[*The shaded lines reflect what you will hear on the recording.*
Las líneas en gris reflejan lo que escucharás en la grabación.]

Tu madre:	[El teléfono suena.] Contesta el teléfono.
Tú:	Saluda a tu madre e identifícate. Explícale por qué la has llamado.
Tu madre:	Expresa su reacción.
Tú:	Ofrece un consejo.
Tu madre:	Continúa la conversación.
Tú:	Comenta para contestar la pregunta.
Tu madre:	Continúa la conversación.
Tú:	Expresa tu reacción. Despídete.
Tu madre:	Se despide. Cuelga el teléfono.

Exercise 6

Imagina que escuchas un anuncio en un almacén, el cual te exige que llames a tu mejor amigo, Federico. Escucha el anuncio.

(a) El anuncio

[*You will hear the announcement on the recording.*
Escucharás el anuncio en la grabación.]

(b) La conversación

[*The shaded lines reflect what you will hear on the recording.*
Las líneas en gris reflejan lo que escucharás en la grabación.]

Federico:	[El teléfono suena.] Contesta el teléfono.
Tú:	Salúdalo. Explícale por qué lo has llamado.
Federico:	Expresa su reacción.
Tú:	Ofrece comprarle una.
Federico:	Continúa la conversación.
Tú:	Ofrece una solución.
Federico:	Continúa la conversación.
Tú:	Finaliza los planes de reunirse. Despídete.
Federico:	Se despide. Cuelga el teléfono.

Exercise 7

Imagina que recibes un mensaje telefónico de tu amiga, Carla, quien te pide que la llames. Escucha el anuncio.

(a) El anuncio
[*You will hear the message on the recording.*
Escucharás el mensaje en la grabación.]

(b) La conversación
[*The shaded lines reflect what you will hear on the recording.*
Las líneas en gris reflejan lo que escucharás en la grabación.]

Carla:	[El teléfono suena.] Contesta el teléfono.	
Tú:	Salúdala. Explícale por qué la has llamado.	
Carla:	Te explica por qué te había hecho la llamada original.	
Tú:	Expresa tu reacción.	
Carla:	Continúa la conversación.	
Tú:	Expresa tu reacción. Invítala a salir para discutirlo más.	
Carla:	Continúa la conversación.	
Tú:	Finaliza los planes. Despídete.	
Carla:	Se despide. Cuelga el teléfono.	

Exercise 8

Imagina que recibes un mensaje telefónico de tu primo, Paco, quien te pide que lo llames. Escucha el mensaje.

(a) El mensaje
[*You will hear the message on the recording.*
Escucharás el mensaje en la grabación.]

(b) La conversación
[*The shaded lines reflect what you will hear on the recording.*
Las líneas en gris reflejan lo que escucharás en la grabación.]

Paco:	[El teléfono suena.] Contesta el teléfono.
Tú:	Salúdalo. Explícale por qué lo has llamado.
Paco:	Te explica por qué te había hecho la llamada original.
Tú:	Explícale por qué.
Paco:	Continúa la conversación.
Tú:	Expresa tu reacción.
Paco:	Continúa la conversación.
Tú:	Expresa tu reacción. Invítalo a salir para discutir el tema.
Paco:	Acepta tu oferta. Se despide. Cuelga el teléfono.

Exercise 9

Recibes un mensaje telefónico del Sr. Torres que trabaja para la aerolínea TropicAir. Te pide que lo llames cuanto antes. Escucha el mensaje.

(a) El mensaje
[*You will hear the message on the recording.*
Escucharás el mensaje en la grabación.]

(b) La conversación
[*The shaded lines reflect what you will hear on the recording.*
Las líneas en gris reflejan lo que escucharás en la grabación.]

Sr. Torres:	[El teléfono suena.] Te saluda.
Tú:	Salúdalo. Explica por qué lo has llamado.
Sr. Torres:	Te explica la razón de su llamada.
Tú:	Expresa tu reacción.
Sr. Torres:	Continúa la conversación.
Tú:	Expresa tu reacción.
Sr. Torres:	Continúa la conversación.
Tú:	Llega a un acuerdo. Despídete.
Sr. Torres:	Se despide. Cuelga el teléfono.

Exercise 10

Llegas a casa y tienes un mensaje que te dejó tu amigo Héctor. Escucha el mensaje.

(a) El mensaje

[*You will hear the message on the recording.*
Escucharás el mensaje en la grabación.]

(b) La conversación

[*The shaded lines reflect what you hear on the recording.*
Las líneas en gris reflejan lo que escucharás en la grabación.]

Héctor:	[El teléfono suena.] Te saluda.
Tú:	Salúdalo. Explica por qué tú lo has llamado.
Héctor:	Explica por qué te había hecho la llamada original.
Tú:	Expresa tu reacción.
Héctor:	Continúa la conversación.
Tú:	Dile cómo te sientes.
Héctor:	Continúa la conversación.
Tú:	Finaliza los planes. Despídete.
Héctor:	Se despide. Cuelga el teléfono.

Exercise 11

Imagina que recibes un mensaje telefónico de tu amiga, Ana, quien te pide que la llames por teléfono. Escucha el mensaje.

(a) El mensaje
[*You will hear the message on the recording.*
Escucharás el mensaje en la grabación.]

(b) La conversación
[*The shaded lines reflect what you will hear on the recording.*
Las líneas en gris reflejan lo que escucharás en la grabación.]

Ana:	[El teléfono suena.] Te saluda.
Tú:	Salúdala. Explica por qué la has llamado.
Ana:	Te explica por qué te había llamado.
Tú:	Expresa tu reacción a lo que te ha dicho.
Ana:	Continúa la conversación.
Tú:	Expresa tu emoción.
Ana:	Toma una decisión.
Tú:	Finaliza los planes. Despídete.
Ana:	Se despide. Cuelga el teléfono.

Exercise 12

Recibes un mensaje telefónico de la dueña de una agencia de viajes. Ella te pide que la llames por teléfono. Escucha el mensaje.

(a) El mensaje
[*You will hear the message on the recording.*
Escucharás el mensaje en la grabación.]

(b) La conversación
[*The shaded lines reflect what you will hear on the recording.*
Las líneas en gris reflejan lo que escucharás en la grabación.]

Señora:	[El teléfono suena.] Contesta el teléfono.
Tú:	Salúdala. Explica por qué la has llamado.
Señora:	Te habla acerca de tu solicitud de empleo.
Tú:	Expresa tu reacción a lo que te dice.
Señora:	Te explica acerca del trabajo.
Tú:	Describe tus habilidades.
Señora:	Continúa la conversación.
Tú:	Finaliza la cita. Despídete.
Señora:	Se despide. Cuelga el teléfono.

Exercise 13

Tu amigo Antonio te deja un mensaje en tu máquina contestadora y te pide que lo llames porque tiene algo que preguntarte. Escucha el mensaje.

(a) El mensaje
[*You will hear the message on the recording.*
Escucharás el mensaje en la grabación.]

(b) La conversación
[*The shaded lines reflect what you will hear on the recording.*
Las líneas en gris reflejan lo que escucharás en la grabación.]

Antonio:	[El teléfono suena.] Te saluda.
Tú:	Salúdalo. Dile por qué lo estás llamando.
Antonio:	Te dice la razón por qué te ha llamado.
Tú:	Expresa tu disculpa. Dale una explicación.
Antonio:	Te dice lo que tienes que hacer.
Tú:	Explícale porque no puedes traerlos en seguida.
Antonio:	Expresa su dilema.
Tú:	Termina la discusión. Despídete.
Antonio:	Te da una sugerencia y se despide.

Exercise 14

Recibes una llamada telefónica del hijo de la familia costarricense con la cual pasaste un año como estudiante de intercambio. Escucha el mensaje.

(a) El mensaje
[*You will hear the message on the recording.*
Escucharás el mensaje en la grabación.]

(b) La conversación
[*The shaded lines reflect what you will hear on the recording.*
Las líneas en gris reflejan lo que escucharás en la grabación.]

Francisco:	[El teléfono suena.] Contesta el teléfono.
Tú:	Salúdalo. Explica por qué lo llamas.
Francisco:	Te dice la razón por qué te llamó.
Tú:	Expresa tu reacción.
Francisco:	Pide tu opinión.
Tú:	Dale instrucciones específicas para enviártela.
Francisco:	Te dice lo qué hará.
Tú:	Continúa la conversación. Despídete.
Francisco:	Se despide y cuelga el teléfono.

Unit 10 Formal Oral Presentation (Integrated Skills)

Introduction/Explanation:

This part of the speaking section is an example of the interpretive and presentational modes. It integrates three skills: reading, listening, and speaking. Students need to give an oral presentation in a formal and/or academic setting. They will be asked to read one document and listen to a recording, after which they will have two minutes to prepare for the presentation and two minutes to answer the question related to the sources. Students will be encouraged to make reference to and cite all sources.

Scoring is based on the ability of the student to demonstrate a sustained level of performance.

Test-Taking Strategies for the Student:

1. Be sure to take notes on the audio portion, since you will only hear it once.
2. Find fragments of the written sources, as well as the audio, that will support your stand on the prompt. You will need to cite or refer to them in your speech.
3. Use any allotted time to organize your thoughts and decide how you will get your message across.
4. Continue speaking until time is called. Do not be concerned if you are still speaking and the recording cuts you off.
5. Be sure to address the prompt directly.
6. Be mindful of grammatical structures, pronunciation, and vocabulary.

DIRECTIONS: The following question is based on the accompanying printed article and audio selection. First, you will have five minutes to read the printed article. Afterwards, you will hear the audio selection; you should take notes while you listen. Then, you will have two minutes to plan your answer and two minutes to record your answer.

INSTRUCCIONES: La pregunta siguiente se basa en el artículo impreso y la selección auditiva. Primero, tendrás cinco minutos para leer el artículo impreso. Después, escucharás la selección auditiva; debes tomar apuntes mientras escuchas. Entonces, tendrás dos minutos para preparar tu respuesta y dos minutos para grabarla.

Exercise 1

Imagina que tienes que dar una presentación formal ante un grupo de dueños de negocios sobre el siguiente tema:

La globalización ha afectado la economía de muchos países.

El artículo impreso habla de la pérdida de trabajos en los países industrializados debido a la globalización; el informe de la radio informa de lo que está ocurriendo con los empleos en diferentes partes del mundo. En una presentación formal, discute lo positivo y lo negativo de la globalización.

Texto impreso

Este artículo, publicado por *IEPALA*, apareció en la página Web de *Eurosur.org* en el año 1999.

El empleo en una economía globalizada

La universalización del empleo y la difusión rápida de las nuevas tecnologías tendrán para el futuro importantes consecuencias sobre la naturaleza del trabajo y su reparto en el mundo.

La desregulación y la liberalización de los mercados en Asia y en América Latina han atraído un fuerte volumen de inversiones internacionales, en especial en la industria de transformación. La parte de productos manufacturados en las exportaciones de los países en desarrollo ha pasado del 33% en 1970, al 66% en 1992. Esta evolución ha hecho temer que se produzcan pérdidas de empleos en los países industrializados, en beneficio de las naciones de reciente industrialización sobre todo a causa de las diferencias significativas en el costo de la mano de obra.

En 1994, el costo de la hora de trabajo de un obrero de la industria era de 25 dólares en Alemania y de 16 dólares en Estados Unidos. En Corea del Sur sólo ascendía a 5 dólares, en México a 2,40, en Polonia a 1,4 y en China, la India e Indonesia a 0,5 dólar o menos aún. Además, la globalización ha sido un factor importante de la baja de la demanda de trabajo nada o poco cualificado en los países industriales. Y continuará hacia los países en desarrollo la transferencia de empleos que ocupan mucha mano de obra y poco cualificada.

Aparece una nueva evolución: la tecnología y la globalización tienen tendencia a unirse para transferir hacia el Sur numerosas actividades de servicios del Norte, gracias al progreso de las telecomunicaciones. Mientras Europa y América del Norte duermen, en Asia unas mujeres, por un escaso salario, introducen en ordenador datos que enseguida son transmitidos vía satélite. El sistema informatizado de reservas de British Airways lo gestiona un grupo de analistas y de programadores que trabaja en la India las 24 horas del día. Air France lleva de la misma forma la gestión de sus ventas de billetes y sus reservas.

Informe de la radio 🔊))))

Fuente: Este informe, que se titula "La economía globalizada", se emitió por *Radio Nacional de España*.

Notas

_____

_____

_____

_____

_____

_____

_____

_____

_____

_____

_____

_____

_____

_____

_____

_____

_____

_____

_____

_____

Exercise 2

Imagina que tienes que dar una presentación formal ante una clase de español sobre el siguiente tema:

El teléfono móvil ha revolucionado la forma en que nos comunicamos.

En el artículo impreso, el reportero Jorge Ramos lamenta no poder usar su teléfono móvil; el informe de la radio discute los múltiples usos de los celulares. En una presentación formal, comenta sobre cómo este invento ha cambiado la vida diaria de muchas personas.

Texto impreso

Este artículo fue escrito por Jorge Ramos.

Desconectado: La paz de los aviones

Estoy desconectado. No me puedo comunicar con nadie. Voy sentado en el asiento 13J en un interminable vuelo de Madrid a Miami y no puedo utilizar el teléfono celular ni tengo acceso a la Internet o a mis emails. No existo para nadie.

En verdad, me dan ganas de chismear con mis amigos por teléfono, contarles de la energía que recoges en las calles de Madrid, y contestar algunos de los 893 correos electrónicos que seguro me esperan en la oficina. Pero no puedo.

Quizás soy un adicto a los "emilios". Hace poco escuchaba en la radio pública de Estados Unidos (National Public Radio, NPR) que, en promedio, los norteamericanos reciben 90 correos electrónicos diarios; esto es un enorme aumento de los 8 que recibían hace cinco años.

Es probable que, ante la falta de emails, esté sufriendo a 35 mil pies de altura los mismos síntomas que padecen los que dejan de fumar o de tomar.

Las aerolíneas insisten en que la Internet y los teléfonos celulares interfieren con los instrumentos de vuelos de los aviones. Puede ser, aunque nadie se ha tomado el tiempo de explicarnos cómo.

Sin embargo, resulta ridículo que la tecnología nos permita tomarle fotos a la congelada luna de Saturno pero que no hayan podido inventar algo que nos deje hacer llamadas de celular desde el aire. Para mí que hay algo chueco en su argumento. ¿Será que nos prefieren calladitos?

Informe de la radio 🔊))))

Fuente: Este informe, que se titula "Los celulares y la evolución del comportamiento social", se emitió por *Radio Naciones Unidas* el 22 de marzo de 2006.

Notas

_____

_____

_____

_____

_____

_____

_____

_____

_____

_____

_____

_____

_____

_____

_____

_____

_____

_____

_____

_____

Exercise 3

Imagina que tienes que dar una presentación formal ante el club de medio ambiente de tu escuela sobre el siguiente tema:

El reciclaje es algo que prevalece en nuestra sociedad, aunque muchas personas prefieren ignorarlo.

El artículo impreso menciona la actitud del pueblo español hacia la ecología; el informe de la radio habla del reciclaje en Italia. En una presentación formal, compara y contrasta la posición de los españoles y la de los italianos acerca de la conservación del medio ambiente.

Texto impreso

Este artículo apareció en el periódico español en línea *El Mundo* el 26 de julio de 2006.

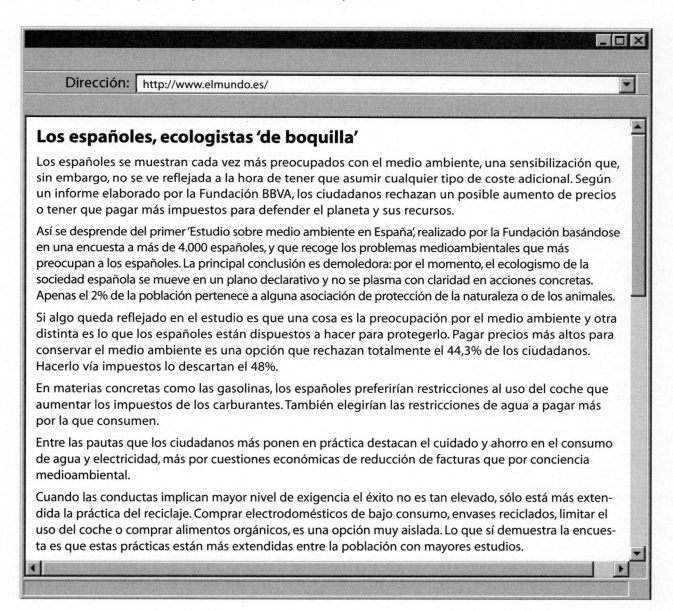

Dirección: http://www.elmundo.es/

Los españoles, ecologistas 'de boquilla'

Los españoles se muestran cada vez más preocupados con el medio ambiente, una sensibilización que, sin embargo, no se ve reflejada a la hora de tener que asumir cualquier tipo de coste adicional. Según un informe elaborado por la Fundación BBVA, los ciudadanos rechazan un posible aumento de precios o tener que pagar más impuestos para defender el planeta y sus recursos.

Así se desprende del primer 'Estudio sobre medio ambiente en España', realizado por la Fundación basándose en una encuesta a más de 4.000 españoles, y que recoge los problemas medioambientales que más preocupan a los españoles. La principal conclusión es demoledora: por el momento, el ecologismo de la sociedad española se mueve en un plano declarativo y no se plasma con claridad en acciones concretas. Apenas el 2% de la población pertenece a alguna asociación de protección de la naturaleza o de los animales.

Si algo queda reflejado en el estudio es que una cosa es la preocupación por el medio ambiente y otra distinta es lo que los españoles están dispuestos a hacer para protegerlo. Pagar precios más altos para conservar el medio ambiente es una opción que rechazan totalmente el 44,3% de los ciudadanos. Hacerlo vía impuestos lo descartan el 48%.

En materias concretas como las gasolinas, los españoles preferirían restricciones al uso del coche que aumentar los impuestos de los carburantes. También elegirían las restricciones de agua a pagar más por la que consumen.

Entre las pautas que los ciudadanos más ponen en práctica destacan el cuidado y ahorro en el consumo de agua y electricidad, más por cuestiones económicas de reducción de facturas que por conciencia medioambiental.

Cuando las conductas implican mayor nivel de exigencia el éxito no es tan elevado, sólo está más extendida la práctica del reciclaje. Comprar electrodomésticos de bajo consumo, envases reciclados, limitar el uso del coche o comprar alimentos orgánicos, es una opción muy aislada. Lo que sí demuestra la encuesta es que estas prácticas están más extendidas entre la población con mayores estudios.

Informe de la radio 🔊))))

Fuente: "Reciclar es un arte", apareció en el sitio de internet de *Tierramérica* el 27 de julio de 2004.

Notas

_____

_____

_____

_____

_____

_____

_____

_____

_____

_____

_____

_____

_____

_____

_____

_____

_____

_____

_____

Exercise 4

Imagina que tienes que dar una presentación formal ante el club de español de tu escuela sobre el siguiente tema:

El baile y la música siempre han sido partes importantes de la historia de los pueblos.

El artículo impreso nos informa de los orígenes de la salsa; en el informe de la radio se escucha sobre las influencias y el origen del flamenco. En una presentación formal, compara y contrasta los principios de estos dos géneros musicales.

Texto impreso

Fuente: Este artículo apareció en el sitio de Internet *Esto.es*.

Salsa: Historia de la salsa

La paternidad de la música popular suele ser un asunto de disputa y, en el caso de la salsa, esa afirmación genérica se cumple. Nosotros creemos que todos los pueblos y lugares que reclaman para sí el honor de haber alumbrado este género musical hispano que ha conquistado una buena parte del mundo tienen una parte de la razón. Porque, en realidad, el alumbramiento de este género tiene unas raíces largas y profundas que alcanzan a Cuba, Puerto Rico, Venezuela, Colombia y cuyo tronco aflora en Nueva York y Miami.

Antes de retroceder en el tiempo, no está de más hacer una parada breve en la palabra que da nombre al género: salsa. Existe una cierta reivindicación cubana sobre la denominación. Se basa en que el cubano Ignacio Piñeiro interpretaba en 1933 una canción, Échale Salsita, que, además de introducir la trompeta por vez primera en el son, sirvió para que ese culinario elemento se colara en la música bailable caribeña.

En realidad, palabras como salsa, azúcar, sabor, pese a ser nombres, se han utilizado en la música. De esa forma de uso surge el bautismo de una música de hondos orígenes cubanos transformada y reelaborada en los barrios hispanos de Nueva York.

El entronizar salsa como la denominación de un género es ante todo un afortunado hallazgo comercial de la discográfica Fania Records al principio de los años 70 en Nueva York.

¿Por qué no fue sabor o azúcar o sabroso...? Poco importa; lo cierto es que siguiendo los principios más elementales del marketing, empaquetar productos elaborados por músicos mucho menos homogéneos de lo que podría parecer bajo una misma etiqueta, sirvió para que el "consumidor" pudiera reconocer y, cómo no, adquirir lo que se convirtió en un éxito comercial que aún hoy, pasada su fase de producto estrella, sigue siendo muy bien "ordeñado" por las discográficas.

Salsa es básicamente una denominación genérica para ritmos y estilos muy variados. Celia Cruz, la reina de la salsa, decía que "salsa es la música cubana con otro nombre. Es mambo, chachachá, rumba, son... todos los ritmos cubanos bajo un único nombre". Aunque la afirmación olvida la influencia de otras naciones como Puerto Rico, Colombia o Venezuela, tan importantes en la configuración actual de la salsa, resulta sin embargo certera al describir que la realidad de esta música es variada y heterogénea rítmicamente.

Hay quien no duda en afirmar que la salsa es un género musical surgido en Nueva York, que se empieza a gestar en los años 60 y vive su momento culminante en la década siguiente. Lo definen como una realidad musical diferenciada surgida en los barrios hispanos de la capital cultural y económica de Norteamérica y, muy especialmente, en la importante comunidad puertorriqueña allí asentada.

Es curioso que un fenómeno latinoamericano y de habla española como es la salsa haya tenido su eclosión en Nueva York y de hecho resulta exótico si no se tienen en cuenta las continuadas relaciones musicales entre Estados Unidos y la música del caribe, especial y notoriamente, la música de Cuba.

Informe de la radio 🔊))))

Fuente: Este informe, que se titula "¿Qué es flamenco?", apareció en el sitio de Internet de *All About Spain - Todo Sobre España*.

Notas

_____

_____

_____

_____

_____

_____

_____

_____

_____

_____

_____

_____

_____

_____

_____

_____

_____

_____

_____

_____

Exercise 5

Imagina que tienes que dar una presentación formal ante tu clase de español sobre el siguiente tema:

El spanglish es un fenómeno que está presente en las comunidades de habla española en Estados Unidos.

En el artículo impreso el escritor expresa su oposición al uso del spanglish; el informe de la radio analiza el tema. En una presentación formal, comenta sobre los puntos a favor y en contra del uso del spanglish.

Texto Impreso

Fuente: Este artículo, por Roberto González Echevarría, apareció en *The New York Times* en el año 1997.

¿Es el Spanglish un idioma?

El Spanglish, esa lengua compuesta de español e inglés que ha desbordado las calles para irrumpir en programas de televisión y campañas publicitarias es una amenaza para la cultura hispánica y el progreso de los hispanos hacia la cultura dominante en los Estados Unidos. Los que lo toleran y hasta fomentan como una mezcla inofensiva no se dan cuenta de que en ningún caso se trata de una relación basada en la igualdad. El Spanglish es una invasión del español por el inglés.

La triste realidad es que el Spanglish es principalmente la lengua de los hispanos pobres, muchos apenas alfabetos en cualquiera de las dos lenguas. Estos hablantes incorporan palabras y construcciones gramaticales inglesas en su lengua diaria porque carecen del vocabulario y la instrucción en español suficientes para adaptarse a la cambiante cultura en que se mueven.

Los hispanos cultos que hacen lo mismo tienen motivos diferentes: algunos se avergüenzan de su origen y sienten que al usar palabras y giros traducidos literalmente del inglés se aproximan más a la mayoría dominante, ascendiendo así de nivel social. Hacerlo les concede membresía en la cultura hegemónica. Desde un punto de vista político, sin embargo, el Spanglish es una capitulación; significa la marginalización, no la adquisición de derechos.

El Spanglish trata el español como si el idioma de Cervantes, Lorca, García Márquez y Paz no tuviera sustancia y dignidad propias.

No es posible hablar de física o metafísica en Spanglish, mientras que el español posee un vocabulario ampliamente suficiente para ambos. Es cierto, a causa de la preeminencia del inglés en campos como los de la tecnología, algunos términos como "bíper," tienen que ser inevitablemente incorporados al español. Pero ¿por qué rendirse al inglés cuando existen palabras y frases españolas perfectamente adecuadas en otros campos?

Si, como en el caso de muchas otras modas entre los hispanos en Estados Unidos, el Spanglish se extendiera por América Latina, constituiría la peor invasión imperialista, y la imposición definitiva de un modo de vida que es dominante en términos económicos, pero que no es culturalmente superior en ningún sentido. La América Latina es rica en muchos aspectos no mensurables con las calculadoras.

Por eso me preocupa oír programas de estaciones basadas en los Estados Unidos dirigidas a todo el Hemisferio. Los noticieros suenan como si fueran en español, pero si uno presta atención, pronto se da cuenta de que no lo son, sino en un inglés apenas transpuesto, ni siquiera traducido, al español. ¿Los escuchan o se mueren de risa en Ciudad México y San Juan?

El mismo tipo de entrega la cometen las compañías norteamericanas que aspiran a medrar en el mercado hispánico. Me erizo cuando oigo a un dependiente decir, "¿Cómo puedo ayudarlo? (transposición literal del inglés "How can I help you?"), en vez de decir correctamente "¿Qué desea?" En un vuelo reciente a México, un sobrecargo de vuelo hispano leyó un anuncio por los altoparlantes del avión que no habría sido comprensible para un mexicano, un español, o un hispano de Estados Unidos de cualquier otra región que no fuera la suya. Los anuncios en la televisión norteamericana en español y los que aparecen en las calles de Nueva York están llenos de errores risibles. Me pregunto si los latinoamericanos de reciente llegada pueden siquiera entenderlos.

Supongo que mis amigos medievalistas me dirían que sin la contaminación del latín por las diversas lenguas del imperio romano no habría español (o francés o italiano). Pero ya no estamos en la Edad Media y es ingenuo pensar que podríamos crear un idioma nuevo que llegara a ser funcional y culturalmente rico.

No pido disculpas por mis prejuicios profesorales: pienso que la gente debe aprender bien los idiomas y que aprender el inglés debe ser la primera prioridad entre los hispanos en Estados Unidos si aspiran a llegar a posiciones de influencia.

Pero debemos recordar que somos un grupo especial de inmigrantes. Mientras que las culturas de origen de otros grupos étnicos se encuentran muy lejos en el tiempo y el espacio, las nuestras están muy cerca. La inmigración latinoamericana mantiene a nuestra comunidad en un estado de constante renovación. Lo menos que nos hace falta es que cada grupo específico elabore su propio Spanglish, creando así una babel de lenguas híbridas. El español es nuestro lazo más fuerte, y es vital preservarlo.

Informe de la radio 🔊)))

Fuente: Este informe, que se titula "El Spanglish: Un fenómeno lingüístico que se abre paso en EE.UU.", apareció en línea en *Noticiasdot.com* el 9 de febrero de 2004.

Notas

_____

_____

_____

_____

_____

_____

_____

_____

_____

Exercise 6

Imagina que tienes que dar una presentación formal ante un grupo de estudiantes que trabajan en un asilo para ancianos sobre el siguiente tema:

Debido a los avances médicos, las personas en nuestra sociedad suelen vivir más tiempo que sus antepasados.

En el artículo impreso, el escritor pregunta si son adecuados los servicios de salud necesarios para la tercera edad; el informe de la radio habla de los desafíos del envejecimiento de la sociedad. En una presentación formal, explica cómo la supervivencia de las personas mayores se está convirtiendo en un reto para la sociedad.

Texto impreso

Fuente: Este artículo apareció en el periódico español *El País* el 24 de enero de 2006.

El reto de una vejez saludable

En los países ricos durante el último medio siglo la senectud se ha retrasado entre una y dos décadas. Fenómeno atribuible a las intervenciones sanitarias adecuadas, pero al que han contribuido también decisivamente otros factores ambientales, sociales y económicos.

Pero el retraso de la senectud no se acompaña de una menor demanda de servicios sanitarios, lo que no sólo es debido a las necesidades asistenciales, sino que en gran manera depende de la introducción de innovaciones y de la propia dinámica de crecimiento del sistema sanitario. Cabe pues preguntarse si la orientación de los servicios y la forma en que se organizan responden adecuada y eficientemente a las necesidades de salud de las personas mayores.

Los problemas de salud de las personas mayores se agudizan como consecuencia de las condiciones en las que viven buena parte de ellas. Sobre todo las que se han quedado solas, las que disponen de pocos recursos económicos y aquellas cuyas viviendas no están adaptadas a las limitaciones físicas. Lo que aumenta la dependencia.

Un planteamiento del que toda la población se podría beneficiar, puesto que la mayoría de los problemas de salud son consecuencia de la interacción de múltiples causas de origen biológico, ambiental y cultural. Los estilos de vida saludables, que no sólo se refieren a los comportamientos de las personas, dependen, en buena parte, de las circunstancias sociales. Por lo que se debe prestar más atención a las actividades de promoción y protección de la salud de carácter comunitario. Un empeño que requiere la movilización de la salud pública como nexo entre los servicios sanitarios y el conjunto de la sociedad.

Informe de la radio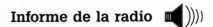

Fuente: Este informe, que se titula "El envejecimiento de la población", se emitió por *Radio Nacional de España*.

Notas

_____

_____

_____

_____

_____

_____

_____

_____

_____

_____

_____

_____

_____

_____

_____

_____

_____

_____

_____

Exercise 7

Imagina que tienes que dar una presentación formal ante tu clase de estudios latinoamericanos sobre el siguiente tema:

El tráfico ilegal de armas contribuye a la violencia mundial.

El artículo impreso aboga la abolición de las armas ilegales; el informe de la radio menciona una campaña internacional para erradicar el tráfico de estas armas. En una presentación formal, explica la necesidad de eliminar las armas ilegales del mundo.

Texto impreso

Fuente: Este artículo apareció en la página Web de la *Fundación Arias para la paz y el progreso humano* el 24 de julio de 2006.

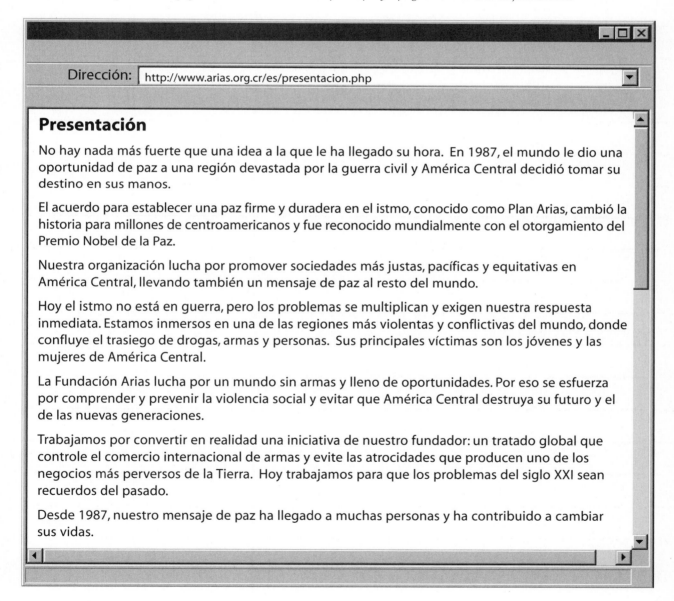

Dirección: http://www.arias.org.cr/es/presentacion.php

Presentación

No hay nada más fuerte que una idea a la que le ha llegado su hora. En 1987, el mundo le dio una oportunidad de paz a una región devastada por la guerra civil y América Central decidió tomar su destino en sus manos.

El acuerdo para establecer una paz firme y duradera en el istmo, conocido como Plan Arias, cambió la historia para millones de centroamericanos y fue reconocido mundialmente con el otorgamiento del Premio Nobel de la Paz.

Nuestra organización lucha por promover sociedades más justas, pacíficas y equitativas en América Central, llevando también un mensaje de paz al resto del mundo.

Hoy el istmo no está en guerra, pero los problemas se multiplican y exigen nuestra respuesta inmediata. Estamos inmersos en una de las regiones más violentas y conflictivas del mundo, donde confluye el trasiego de drogas, armas y personas. Sus principales víctimas son los jóvenes y las mujeres de América Central.

La Fundación Arias lucha por un mundo sin armas y lleno de oportunidades. Por eso se esfuerza por comprender y prevenir la violencia social y evitar que América Central destruya su futuro y el de las nuevas generaciones.

Trabajamos por convertir en realidad una iniciativa de nuestro fundador: un tratado global que controle el comercio internacional de armas y evite las atrocidades que producen uno de los negocios más perversos de la Tierra. Hoy trabajamos para que los problemas del siglo XXI sean recuerdos del pasado.

Desde 1987, nuestro mensaje de paz ha llegado a muchas personas y ha contribuido a cambiar sus vidas.

Informe de la radio 🔊))))

Fuente: Este informe, que se titula "Tráfico de armas", se emitió por *Radio Nacional de España*.

Notas

_____

_____

_____

_____

_____

_____

_____

_____

_____

_____

_____

_____

_____

_____

_____

_____

_____

_____

_____

_____

_____

Exercise 8

Imagina que tienes que dar una presentación formal ante tu clase de informática sobre el siguiente tema:

La seguridad en el Internet ha llegado a ser un asunto de suma importancia para los usuarios.

El artículo impreso habla de lo que hace un grupo de piratas informáticos; el informe de la radio explica cómo uno debe protegerse del daño que aquéllos causan. En una presentación formal, comenta sobre la gravedad de la piratería en la red.

Texto impreso

Fuente: Este artículo, de *BBC Mundo,* apareció en el periódico argentino *La Nación* el 5 de agosto de 2006.

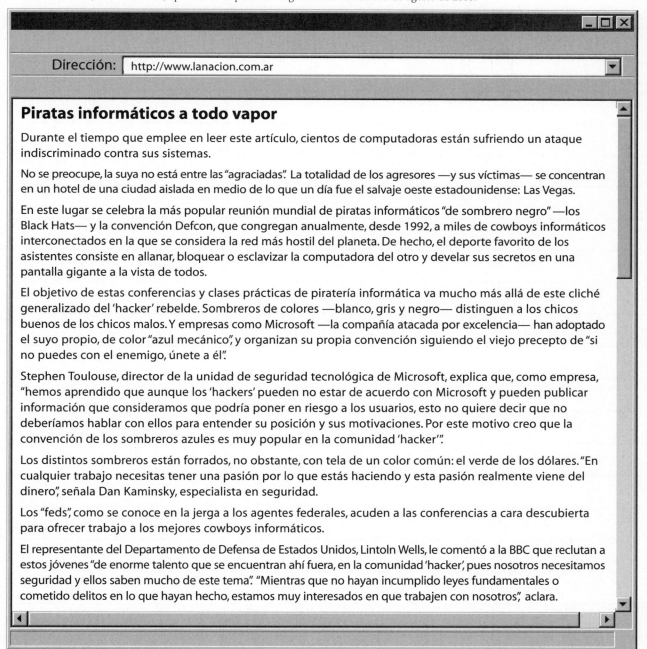

Dirección: http://www.lanacion.com.ar

Piratas informáticos a todo vapor

Durante el tiempo que emplee en leer este artículo, cientos de computadoras están sufriendo un ataque indiscriminado contra sus sistemas.

No se preocupe, la suya no está entre las "agraciadas". La totalidad de los agresores —y sus víctimas— se concentran en un hotel de una ciudad aislada en medio de lo que un día fue el salvaje oeste estadounidense: Las Vegas.

En este lugar se celebra la más popular reunión mundial de piratas informáticos "de sombrero negro" —los Black Hats— y la convención Defcon, que congregan anualmente, desde 1992, a miles de cowboys informáticos interconectados en la que se considera la red más hostil del planeta. De hecho, el deporte favorito de los asistentes consiste en allanar, bloquear o esclavizar la computadora del otro y develar sus secretos en una pantalla gigante a la vista de todos.

El objetivo de estas conferencias y clases prácticas de piratería informática va mucho más allá de este cliché generalizado del 'hacker' rebelde. Sombreros de colores —blanco, gris y negro— distinguen a los chicos buenos de los chicos malos. Y empresas como Microsoft —la compañía atacada por excelencia— han adoptado el suyo propio, de color "azul mecánico", y organizan su propia convención siguiendo el viejo precepto de "si no puedes con el enemigo, únete a él".

Stephen Toulouse, director de la unidad de seguridad tecnológica de Microsoft, explica que, como empresa, "hemos aprendido que aunque los 'hackers' pueden no estar de acuerdo con Microsoft y pueden publicar información que consideramos que podría poner en riesgo a los usuarios, esto no quiere decir que no deberíamos hablar con ellos para entender su posición y sus motivaciones. Por este motivo creo que la convención de los sombreros azules es muy popular en la comunidad 'hacker'".

Los distintos sombreros están forrados, no obstante, con tela de un color común: el verde de los dólares. "En cualquier trabajo necesitas tener una pasión por lo que estás haciendo y esta pasión realmente viene del dinero", señala Dan Kaminsky, especialista en seguridad.

Los "feds", como se conoce en la jerga a los agentes federales, acuden a las conferencias a cara descubierta para ofrecer trabajo a los mejores cowboys informáticos.

El representante del Departamento de Defensa de Estados Unidos, Lintoln Wells, le comentó a la BBC que reclutan a estos jóvenes "de enorme talento que se encuentran ahí fuera, en la comunidad 'hacker', pues nosotros necesitamos seguridad y ellos saben mucho de este tema". "Mientras que no hayan incumplido leyes fundamentales o cometido delitos en lo que hayan hecho, estamos muy interesados en que trabajen con nosotros", aclara.

Informe de la radio

Fuente: Este informe, que se titula "La seguridad en Internet", se emitió por *Radio Nacional de España*.

Notas

_____

_____

_____

_____

_____

_____

_____

_____

_____

_____

_____

_____

_____

_____

_____

_____

_____

_____

_____

_____

Exercise 9

Imagina que tienes que dar una presentación formal ante un grupo de profesores de historia sobre el siguiente tema:

Cada año un sinnúmero de lenguas indígenas desaparece.

El artículo impreso habla de las lenguas en peligro de extinción; el informe de la radio se refiere a unos idiomas que corren el riesgo de desaparecer. Menciona algunas de las razones por la pérdida de una gran cantidad de lenguas indígenas.

Texto impreso

Fuente: Este artículo apareció en *Aula de El Mundo,* del periódico español *El Mundo* el 4 de marzo de 2002.

Tres mil de las 6.000 lenguas del mundo, en peligro

No sólo se extinguen las especies animales más amenazadas. También lo hacen algunos pueblos, comunidades y, por supuesto, su lengua. La ONU, a través de la Unesco, ha hecho pública la segunda edición del 'Atlas' de las lenguas en peligro. Sus conclusiones son poco alentadoras para la salud de muchas de las lenguas que perviven en el mundo: se estima que 3.000 de las 6.000 que todavía hoy se hablan en el planeta corren serio peligro de desaparición.

La Unesco (Organización de Naciones Unidas para la Educación, la Ciencia y la Cultura) pone de relieve una realidad alarmante: 3.000 de las 6.000 lenguas que según esta institución se hablan en el mundo, corren serio peligro de desaparición, en mayor o menor grado.

La Unesco considera que la lengua de una comunidad está amenazada cuando un 30% de sus niños no la aprende. Este organismo enumera como razones para que eso ocurra "el desplazamiento forzado de una comunidad, el contacto con una cultura más agresiva o acciones destructivas de los miembros de una cultura dominante". Por tanto, distingue entre el peligro que corre una lengua por el limitado número de hablantes que tenga, del que corre por la cercanía y prevalencia de un entorno "culturalmente agresivo".

En el informe de la Unesco se establecen distintos grados de riesgo sobre la extinción de un idioma. Las hay que peligran porque disminuye el número de niños que las aprenden. Las hay moribundas o ya extinguidas plenamente. Otras sufren la amenaza de la desaparición porque sus hablantes más jóvenes son ya adultos, o las que más peligro corren: las que sólo tienen hablantes de mediana edad o ancianos.

Nosotros tampoco nos salvamos. Toda la riqueza multicultural que conforma nuestro país está también amenazada. La Unesco ha constatado en su estudio que el mozárabe (la lengua romance, hoy extinta, heredera del latín vulgar visigótico, que, contaminada de árabe, hablaban cristianos y musulmanes en la España islámica) ya se ha extinguido.

El gallego, el euskara (cuya situación es más grave en Francia), el asturiano, el aragonés y el gascón están en peligro, según el citado estudio. Sin embargo, el catalán "está siendo potencialmente reforzado", por lo que sus hablantes no deben dudar del futuro de su lengua.

Otro capítulo importante es el caso de América. Los autores del informe se han remitido al pasado para dejar constancia del "efecto catastrófico" que produjo la invasión azteca y la conquista española sobre las lenguas de México. Para ser más exactos, en el país de los nachos se han contabilizado unas 110 lenguas extinguidas, de las que el chiapaneco y el cuilateco figuran entre las desaparecidas en la segunda mitad del siglo XX. Ahora mismo son 14 las lenguas en peligro, a las que se suman las indígenas.

Aunque durante el siglo XX el español perdió presencia en Filipinas, el crecimiento experimentado en EE.UU. en los últimos años es bastante notable. Para ser más exactos, ya son más de 35 los millones de personas que lo hablan allí, número que ha superado al de afroamericanos. Pese a ello, el académico Fernando Lázaro Carreter considera que el futuro de nuestra lengua en el país americano es de "inquietante claroscuro".

Informe de la radio 🔊))))

El informe "Lenguas indígenas en agonía" basado en un articulo del sitio Internet *Tierramérica.net,* se publicó el 8 de abril de 2006.

Notas

_____

_____

_____

_____

_____

_____

_____

_____

_____

_____

_____

_____

_____

_____

_____

_____

Exercise 10

Imagina que tienes que dar una presentación formal ante tu clase de español acerca del siguiente tema:

Los deportes promueven la paz y a la vez incitan a la violencia.

La fuente escrita critica la violencia en el fútbol; el informe de la radio alaba el deporte por su cualidad unificadora. En una presentación formal, compara y contrasta lo bueno y lo malo del deporte profesional.

Texto impreso

Fuente: Esta carta apareció en la página Web de Argentina *Chicos.net*.

Violencia en el fútbol

Por Magdalena Lago*

La violencia en el fútbol es un tema que está muy presente estos días en el mundo. Se inicia dentro y fuera de la cancha, pero se acentúa afuera, por diferentes tipos de represión, y continúa con heridos y hasta muertos en algunos casos particulares.

Hay muchas razones y causas con respecto a este problema, pero la solución no aparece.

Los incidentes dentro de la cancha repercuten en todos los sentidos a los aficionados de los clubes, que ya no concurren tanto a ver a sus equipos preferidos por temor a la violencia y por la falta de seguridad. Un gran porcentaje de familias que iban a ver a sus equipos paulatinamente dejaron de hacerlo por estas razones.

En los estadios cada vez hay más seguridad pero, ¿es esto una solución? ¿No será la seguridad la que reprime y provoca los disturbios? Los hinchas piensan que es así, otros dicen que el escándalo comienza dentro de la cancha a causa de los jugadores, el árbitro, o ya sea un penal, un amonestado o la polémica por una infracción mal cobrada.

Hay muchas hipótesis acerca del problema, pero ninguna solución concreta al respecto.

¿Será que los hinchas son cada vez más incivilizados y van solo a buscar pelea? ¿Será la cancha un lugar para descargar tensiones por la situación actual del país? ¿Por qué no puede seguir siendo un entretenimiento sano como hace unos años?

La seguridad es un tema fundamental de este problema ya que no se sabe los efectos que ésta causa en el hincha que va todos los domingos a la cancha y vuelve a su casa frustrado por la represión que gira en torno del fútbol, los estadios y la gente.

De todos modos sólo estamos seguros de una cosa: el fútbol no es lo mismo que era antes; algo está cambiando, sigue siendo una atracción para muchos fanáticos, pero ¿sigue siendo un entretenimiento sano y seguro para cualquier persona?

* Magdalena Lago, 16 años
Buenos Aires, Argentina

Informe de la radio 🔊)))

Fuente: Este informe, que se titula "El deporte, promotor de la paz y desarrollo", se emitió por *Radio Naciones Unidas* el 3 de mayo de 2006.

Notas

_____

_____

_____

_____

_____

_____

_____

_____

_____

_____

_____

_____

_____

_____

_____

_____

_____

_____

_____

_____

_____

_____

_____

Exercise 11

Imagina que tienes que dar una presentación formal ante una clase de civismo sobre el siguiente tema:

La libertad de prensa debería de ser un derecho universal pero desafortunadamente no lo es.

El artículo impreso discute el tema del ejercicio del periodismo; el informe de la radio habla del estado de la libertad de prensa en Latinoamérica. En una presentación formal, discute si existe la libertad de prensa en Latinoamérica.

Texto impreso

Fuente: Este artículo apareció en el sitio de Internet del *Centro para la apertura y el desarrollo de América Latina (CADAL)* el 3 de agosto de 2006.

Periodismo con riesgo de muerte

En la mayoría de los países latinoamericanos, las leyes aseguran la libertad de prensa, pero en algunas naciones el Estado no protege su libre ejercicio, hasta el punto que los periodistas sufren un inmediato riesgo físico. Ésta es una de las conclusiones que se desprende del informe "Indicadores de Periodismo y Democracia a Nivel Local en América Latina" realizado por el Centro para la Apertura y el Desarrollo de América Latina (CADAL). Prueba de ello son los 10 periodistas que fueron asesinados en la región durante el primer semestre de 2006.

El informe presenta la situación del periodismo en América Latina, al tiempo que hace un análisis exhaustivo de las denuncias por avasallamiento de las libertades fundamentales y las maneras en que los gobiernos imponen presiones a los medios de comunicación.

El análisis distingue en el mapa regional tres tipos de áreas: las "zonas negras" son aquellas donde la ley prohíbe el ejercicio de la libertad de prensa, y la ley se cumple. En este lugar el trabajo ubica a Cuba y afirma que "el aparato represivo cubano es el más eficiente contra el periodismo".

Las "zonas rojas" son aquellas donde la ley protege el ejercicio de la libertad de prensa, pero el Estado no la protege hasta el punto que los periodistas o los medios están en riesgo de muerte, como ocurre en algunos distritos de México.

Finalmente las "zonas marrones" son aquellas donde la ley protege el ejercicio de la libertad de prensa, pero existe un acoso que conmociona al periodismo, aunque no están en inmediato riesgo físico quienes ejercen el periodismo. Este es el caso de Venezuela.

El periodista Fernando Ruiz subrayó que "es evidente que en la mayoría de las zonas rojas, existen redes criminales ubicadas en la entraña del propio Estado, lo que bloquea la capacidad estatal de ofrecer seguridad pública a los ciudadanos. En México, por ejemplo, la violencia y el narcotráfico se ha agravado y el periodismo se siente muy solo a la hora de investigar y denunciar los delitos, porque no hay un Estado que esté acompañando con medidas firmes, hay un Estado defectuoso e ineficiente para cumplir con las leyes que la misma constitución promete a los ciudadanos".

Informe de la radio 🔊)))

Fuente: Este informe, que se titula "Situación de la libertad de prensa en América Latina", se emitió por *Radio Naciones Unidas* el 14 de junio de 2006.

Notas

_____

_____

_____

_____

_____

_____

_____

_____

_____

_____

_____

_____

_____

_____

_____

_____

_____

_____

_____

_____

_____

Exercise 12

Imagina que tienes que dar una presentación formal ante tu clase de música sobre el siguiente tema:

La música romántica, como el bolero, se asocia con las personas de mayor edad mientras que el reguetón se identifica con la juventud.

El artículo impreso describe la historia del reguetón; el informe de la radio traza los orígenes del bolero. En una presentación formal, compara y contrasta estos dos géneros de música.

Texto impreso

Este artículo, por Ernest Reitich, apareció en el sitio de Internet *Yahoo! Música en español*.

Reggaeton

El Reggaeton es el género musical más pegajoso y bailable que se ha creado en los últimos años. Como todo género vivo y cambiante, lleva años escuchándose, fusionándose y evolucionando en lo más profundo del underground de algunas discotecas caribeñas para finalmente tomar forma y empuje en Puerto Rico, integrando a diferentes géneros urbanos, del barrio, de la calle, como el Hip-Hop, el Rap, el Reggae jamaiquino y por supuesto la Plena, la Salsa y la Bomba (géneros musicales típicos boricuas).

Como influencias y bases del Reggaeton de hoy en día podríamos hablar del rap en español que comenzó en la década de los 90 en Panamá con El General. Pero la movida que protagoniza esta última generación de boricuas raperos, comenzó en Puerto Rico en los años 1993 y 1994, en una discoteca de Hip-Hop y Reggae llamada "The Noise", en donde los jóvenes que habían crecido escuchando rap de la vieja escuela como la de Vico C, se montaban en la tarima y lanzaban sus líricas en pistas de las canciones más reconocidas del Rap de Estados Unidos y del Reggae jamaiquino.

Este género musical no nace de un día para otro. Estos nuevos juglares de nuestro tiempo llevan más de 10 años moviendo la Isla con su música. Algunos de los representantes más famosos del Reggaeton hoy en día son Tego Calderón, Don Omar, Wisin y Yandel, Héctor y Tito, Daddy Yankee, Zion & Lennox, Baby Rasta y Gringo, Ivy Queen, Nicky Jam y Vico C. Individuos capaces de llenar estadios y poner a bailar hasta a una foto con sus melodías.

La vestimenta de los jóvenes dio un giro radical: ropa holgada, gorras al inverso y muchas prendas de oro de tamaños inauditos marcaron la tendencia de la moda del Reggaeton.

La sociedad se escandalizó e incluso, entre 1994 y 1995, la policía de la citada isla caribeña, incautó discos de este nuevo género bajo el alegato de pornografía, pero los tribunales prefirieron salvaguardar el derecho constitucional a la libre expresión y dejó al libre albedrío de los consumidores decidir si escuchaban o no las llamadas "líricas".

Informe de la radio 🔊))))

Fuente: El informe "La historia del bolero latinoamericano", apareció en el periódico *Analítica Consulting* en el año 1996.

Notas

_____

_____

_____

_____

_____

_____

_____

_____

_____

_____

_____

_____

_____

_____

_____

_____

_____

_____

_____

_____

_____

_____

Exercise 13

Imagina que tienes que dar una presentación ante tu clase de español sobre el siguiente tema:

Las lenguas evolucionan según el uso de los parlantes de ellas.

El artículo impreso habla del lunfardo, usado por los habitantes de Buenos Aires; el informe de la radio discute el origen del español o el castellano. En una presentación formal, compara el español y el lunfardo.

Texto impreso

Fuente: Este artículo, por Nora López, apareció en la página Web de *Lunfa2000*.

¿Qué es el Lunfardo?

José Gobello, en su libro Aproximación al lunfardo, explica por qué no considera al lunfardo un idioma, un dialecto ni una jerga: entre otras cosas, porque carece de sintaxis y gramática propias. En su obra, Gobello da una definición de lunfardo: "Vocabulario compuesto por voces de diverso origen que el hablante de Buenos Aires emplea en oposición al habla general". Otro aspecto importante es que el uso de esas palabras es absolutamente consciente. Quien emplea palabras lunfardas, piensa en español, usando las estructuras y la gramática castellanas, y luego reemplaza una o más de esas palabras por sus sinónimos lunfardos. Así, el significado último del discurso no cambia, pero toma un matiz diferente. En español, la decisión de usar una palabra o un sinónimo también le da al discurso un matiz diferente; pero cuando reemplazamos la palabra española con un sinónimo lunfardo, el cambio es más evidente.

Al ser solamente un vocabulario, un conjunto de palabras (5000, quizá), es imposible hablar en lunfardo; sí es posible, en cambio, hablar con lunfardo. Esos miles de palabras son insuficientes para expresar la cantidad de ideas que, por pocas que sean, tiene una persona. Además, no sólo las palabras lunfardas son sinónimas de las castellanas, sino que son sinónimas entre sí: del total de palabras, una gran cantidad –una proporción mucho mayor que la del castellano– está referida al sexo, a las distintas partes del cuerpo, la comida, la bebida, el dinero, la ropa, el delito. Es importante señalar que el lunfardo y el tango nacieron en la misma época y en el mismo lugar, pero han podido vivir el uno sin el otro.

En las últimas décadas del siglo XIX y en las primeras del siglo XX (aproximadamente entre 1875 y 1914), una gran inmigración europea llegó a la Argentina, y buena parte de ella se asentó en la creciente ciudad de Buenos Aires, donde tenían como vecinos a integrantes de las clases bajas locales.

El mayor número de extranjeros provenía de Italia y España. Con algunas de esas palabras aportadas por los inmigrantes y con otras que circulaban en la ciudad provenientes del gauchesco se formó el lunfardo. De las palabras traídas por quienes venían a hacer la América se destacan las que llegan desde los dialectos italianos junto con algunas francesas, especialmente las referidas a la vida nocturna. También, las aportadas por otros grupos extranjeros. Por algún motivo, casi no hay palabras de las lenguas regionales españolas, pese al importante número de inmigrantes ibéricos.

Si afirmamos que el lunfardo es sólo un vocabulario, un conjunto de sinónimos que cada hablante usa para dar un matiz a su discurso, esto se debe en enorme medida a la escuela pública. En efecto, el alud inmigratorio fácilmente pudo hacer que surgiera un nuevo idioma, o, al menos, un dialecto, producto del cruce de tantas lenguas, tantos registros; especialmente si tenemos en cuenta al menos dos situaciones: la falta de medios de comunicación masivos que ayudaran a fijar el castellano, y, sobre todo, los escasos conocimientos de los inmigrantes, en su amplia mayoría pobres, y en buena medida, casi analfabetos.

Informe de la radio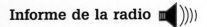

Fuente: Este informe, que se titula "Historia del idioma español", apareció en línea en *Wikipedia*.

Notas

_____

_____

_____

_____

_____

_____

_____

_____

_____

_____

_____

_____

_____

_____

_____

_____

_____

_____

_____

_____

_____

_____

_____

Exercise 14

Imagina que tienes que dar una presentación formal ante tu clase de español sobre el siguiente tema:

Muchos ritos y festivales son el producto de una combinación de culturas distintas. Tanto el día de los muertos en México como la santería en Cuba reflejan esta mezcla de tradiciones.

El artículo impreso describe los orígenes y las costumbres del día de los muertos en México; el informe de la radio describe lo que es la santería. En una presentación formal, describe la mezcla de la cultura indígena con la española en México y en Cuba.

Texto Impreso

Fuente: Este artículo apareció en línea en *Wikipedia*.

Día de Muertos

El Día de Muertos es una celebración de origen indígena mesoamericana que honra a los ancestros el 1 y el 2 de noviembre, coincidiendo con las celebraciones católicas de Todos los Santos (1 de noviembre) y Día de los Fieles Difuntos (2 de noviembre) respectivamente. Aunque se ve primariamente como una festividad mexicana y centroamericana, también se celebra en muchas comunidades de los Estados Unidos donde existe una gran comunidad mexicana y centroamericana.

Los orígenes de la celebración del Día de los Muertos en México (Meshico, era la pronunciación indígena), pueden ser trazados hasta la época de los indígenas de Mesoamérica, tales como los aztecas, mayas, purépechas, nahuas y totonacas. Los rituales que celebran las vidas de los ancestros se realizaron por estas civilizaciones por lo menos durante los últimos 3,000 años. En la era prehispánica era común la práctica de conservar los cráneos como trofeos y mostrarlos durante los rituales que simbolizaban la muerte y el renacimiento.

El festival que se convirtió en el Día de los Muertos cayó en el noveno mes del calendario solar azteca, cerca del inicio de agosto, y era celebrado durante un mes completo. Las festividades eran presididas por el dios Mictecacíhuatl, conocido como la "Dama de la muerte" (actualmente corresponde con "la Catrina, personaje de José Guadalupe Posadas"). Las festividades eran dedicadas a la celebración de los niños y las vidas de parientes fallecidos.

Cuando los conquistadores llegaron a América en el siglo XV, ellos estuvieron aterrados por las prácticas paganas de los indígenas, y en un intento de convertir a los nativos americanos al catolicismo movieron el festival hacia fechas en el inicio de noviembre para que coincidiesen con las festividades católicas del Día de todos los Santos y Todas las Almas. El Día de Todos los Santos es el uno de Noviembre, donde este último fue también un ritual pagano de Samhain, el día céltico del banquete de los muertos. Los españoles combinaron sus costumbres con el festival similar mesoamericano, creando de este modo el Día de los Muertos.

Uno de los símbolos comunes del Día de los Muertos son las calaveras de dulce, tienen escritos los nombres de los difuntos (o en algunos casos de personas vivas en forma de broma modesta que no ofende en particular al aludido) en la frente, son consumidas por parientes o amigos.

* Pan de muerto. Otros platillos especiales del Día de los Muertos incluyen al "pan de muerto", un panecillo dulce hecho con base de huevo que se hornea en diferentes figuras, desde simples formas redondas hasta cráneos.

* Rimas. Otra importante forma que toma esta celebración son las famosas litografías, támbién llamadas "calaveritas", que constan de versos donde la muerte (personificada) bromea con personajes de la vida real, haciendo alusión sobre alguna característica peculiar de la persona en cuestión, y finalizando con frases donde se expone que se lo llevará a la tumba.

* Flores. Durante el período del 1 al 2 de noviembre las familias normalmente limpian y decoran las tumbas con coloridas coronas de flores de rosas, girasoles, entre otras, pero principalmente de Cempaxóchitl, las cuales se cree atraen y guían las almas de los muertos. Muchos de los panteones son visitados.

* El altar y las visitas. Se cree que las almas de niños regresan el día primero de noviembre, y las almas de los adultos regresan el día 2 de noviembre. En el caso de que no se pueda visitar la tumba, ya sea porque ya no existe la tumba del difunto, o porque la familia está muy lejos para ir a visitarla, también se elaboran detallados altares en las casas, donde se ponen las ofrendas, que pueden ser platillos de comida, el pan de muertos, vasos de agua, mezcal, tequila, pulque o atole, e incluso juguetes para las almas de los niños. Todo esto se coloca junto a retratos de los difuntos rodeados de veladoras.

Informe de la radio ◀))))

Fuente: Este informe, que se titula "Santería", apareció en la página Web de *SCTJM (Siervas de los Corazones Traspasados de Jesús y María)*.

Notas

_____

_____

_____

_____

_____

_____

_____

_____

_____

_____

_____

_____

_____

Complete Practice Exam 1

Complete Practice Exam 1

Exercise 1 Short Dialogues

DIRECTIONS: You will now listen to a selection. After each one, you will be asked some questions about what you have just heard. Select the best answer to each question from among the four choices printed in your test booklet and fill in the corresponding oval on the answer sheet.

INSTRUCCIONES: Ahora vas a escuchar una selección. Después de cada una se te harán varias preguntas sobre lo que acabas de escuchar. Para cada pregunta elige la mejor respuesta de las cuatro opciones escritas en tu libreta de examen y rellena el óvalo correspondiente en la hoja de respuestas.

1. (A) En una residencia universitaria
   (B) En la casa de Carlos
   (C) En la casa de José
   (D) En un apartamento

2. (A) No le gustan las fiestas.
   (B) Tiene que despertarse temprano.
   (C) Se cansa en las clases.
   (D) Se cansa limpiando y cocinando.

3. (A) Trabajando los fines de semana
   (B) Comprando buenos productos de limpieza
   (C) Pagando a un servicio de limpieza
   (D) Invitando a amigos a limpiar

4. (A) José
   (B) Carlos
   (C) Nadie; van a comer en la cafetería.
   (D) Los dos chicos se van a turnar.

Exercise 2 Short Narratives

DIRECTIONS: You will now listen to a selection. After each one, you will be asked some questions about what you have just heard. Select the best answer to each question from among the four choices printed in your test booklet and fill in the corresponding oval on the answer sheet.

INSTRUCCIONES: Ahora vas a escuchar una seleccion. Después de cada una se te harán varias preguntas sobre lo que acabas de escuchar. Para cada pregunta elige la mejor respuesta de las cuatro opciones escritas en tu libreta de examen y rellena el óvalo correspondiente en la hoja de respuestas.

1. (A) Para poder construir más fuentes ornamentales
   (B) Porque no hay suficiente agua potable para las demandas de la población
   (C) Por un decreto nacional
   (D) Porque las viviendas pierden mucha agua debido a su mala construcción

2. (A) El gobierno quiere fomentar una nueva mentalidad acerca del consumo de agua.
   (B) Los países de la Unión Europea van a compartir sus recursos de agua.
   (C) El gobierno va a enseñarle a la gente los ciclos de sequía y lluvia.
   (D) El agua de España es única.

3. (A) Limitar el riego por aspersión
   (B) Instalar contadores
   (C) Instalar captadores de agua de lluvia en los nuevos edificios
   (D) Prohibir el uso de piscinas

4. (A) No se podrán utilizar hasta que no se acabe la sequía.
   (B) Sólo se podrán utilizar 10 horas al día.
   (C) No habrá ningún cambio.
   (D) Tendrán que usar agua reciclada.

Exercise 3 Long Dialogues and Narratives

DIRECTIONS: You will now listen to a selection of about five minutes duration. First, you will have two minutes to read the questions silently. Then you will hear the selection. You may take notes in the blank space provided as you listen. You will not be graded on these notes. At the end of the selection, you will answer a number of questions about what you have heard. Based on the information provided in the selection, select the BEST answer for each question from among the four choices printed in your test booklet and fill in the corresponding oval on the answer sheet.

INSTRUCCIONES: Ahora escucharás una selección de unos cinco minutos de duración. Primero tendrás dos minutos para leer las preguntas en voz baja. Después escucharás la selección. Se te permite tomar apuntes en el espacio en blanco de esta hoja mientras escuches. Estos apuntes no serán calificados. Al final de la selección elige la MEJOR respuesta a cada pregunta de las cuatro opciones impresas en tu libreta de examen y rellena el óvalo correspondiente en la hoja de respuestas.

1. ¿En qué país tiene lugar esta entrevista?
   (A) México
   (B) Estados Unidos
   (C) La República Dominicana
   (D) España

2. Según el Señor Oropeza, ¿Qué ha ayudado al crecimiento migratorio?
   (A) La tecnología y la globalización
   (B) Las economías prósperas
   (C) Las visas migratorias
   (D) Los países en vía de desarrollo

3. ¿Cómo podrían ayudar los países industrializados a parar el aumento de la emigración?
   (A) Ofreciendo préstamos a bajo costo
   (B) Proveyendo adiestramiento laboral
   (C) Legalizando la emigración irregular
   (D) Fomentando economías más prósperas

4. ¿Qué han hecho los países en el marco centroamericano?
   (A) Han decidido expulsar a los inmigrantes.
   (B) Han adoptado un pasaporte común.
   (C) Han ayudado a las redes familiares de inmigrantes.
   (D) Han creado mecanismos de control de emigrantes.

5. Según la entrevista, muchos emigrantes regresan a sus propios países
   (A) porque echan de menos a sus familiares.
   (B) porque han sido deportados.
   (C) para aportar conocimientos adquiridos en otros países.
   (D) para pasar los últimos años de su vida.

Exercise 4 Reading Comprehension

DIRECTIONS: Read the following passage carefully for comprehension. The passage is followed by a number of incomplete statements or questions. Select the completion or answer that is best according to the passage and fill in the corresponding oval on the answer sheet.

INSTRUCCIONES: Lee con cuidado el siguiente pasaje. El pasaje va seguido de varias preguntas u oraciones incompletas. Elige la mejor respuesta o terminación, de acuerdo con el pasaje, y rellena el óvalo correspondiente en la hoja de respuestas.

Este artículo por Carmen Sotomayor R. apareció en el periódico nicaragüense *El Nuevo Diario* el 5 de junio de 2006.

Generemos bienestar, no riqueza

Es prioritario que le demos importancia a los temas de arquitectura y desarrollo sostenible, que en Nicaragua no los estamos tomando en serio.

Debido al crecimiento exagerado de la población mundial y el afán desmedido de generación de riqueza, sin importar el impacto ambiental, ha resultado en el agotamiento
(5)   de nuestros recursos naturales, escasez de energía, saturación de emisiones y residuos, afectando en gran medida la biodiversidad, provocando además muchos desastres naturales y urbanos, como los acaecidos recientemente por Katrina, Stan, Willma, y Beta, sin olvidar las secuelas del Mitch y otros, en el pasado, como Brett y Gert o el Joan, que afectaron mucho a Nicaragua.

(10) El sector de la construcción es posiblemente uno de los mayores responsables del consumo energético y de la generación de residuos de las actividades humanas, por lo cual es importante y prioritario la obtención de un modelo de construcción sostenible que se pueda aplicar a cualquier tipo de construcción y que permita el mayor respeto del medio ambiente al menor costo posible.

(15) Por ello es urgente buscar nuevas formas de "generación de bienestar", que produzcan el menor impacto ambiental posible en "Nuestro Hogar, el Planeta Tierra", como reza un conocido slogan publicitario.

Existen medidas que deberíamos adoptar en Nicaragua para obtener edificaciones que racionalicen el uso de las materias primas, demanden poco mantenimiento y requieran
(20) menos energía para su climatización. Algunas de las medidas recomendadas que podríamos implementar:

1. Normativas urbanísticas que permitan alcanzar una construcción sostenible: en cuanto a la forma y orientación adecuada de los edificios, apropiada a nuestro clima tropical, asoleamiento y vientos predominantes, así como maximizar el uso de la
(25) ventilación cruzada en todos los edificios, para aumentar su confort y bajar consumo de energía; gestión de residuos, uso de materiales de construcción biodegradables, no contaminantes y reducción de desperdicios, así como disponer de protecciones solares adecuadas, tanto naturales, como artificiales.

2. Favorecer la reutilización y reciclaje de materiales de construcción, cuidando de no
(30)   comprometer la seguridad del edificio y de sus usuarios.

3. Incentivar la modulación, prefabricación e industrialización de los componentes de
las edificaciones (puertas, ventanas, etc.) para bajar costos de construcción.

4. Aprovechamiento del paisaje natural y recursos naturales, abundantes en nuestro
país, para el deleite de los ciudadanos (arquitectura paisajística), así como para su
(35)   explotación con fines turísticos. En el caso de Managua, que nuestra ciudad y sus
edificios orienten sus fachadas hacia el lago, y no como se ha acostumbrado,
dándole las espaldas; aprovechando, además, otros recursos naturales bellísimos,
como Tiscapa, Nejapa, y explotar a ventaja comparativa de nuestra ciudad (¿novia del
Xolotlán?), con respecto del resto de las capitales de Centroamérica, convirtiéndola
(40)   en una ventaja competitiva en turismo, también otras ciudades, como Masaya, con
su laguna, y volcanes, Granada con el Cocibolca y el Volcán Mombacho, para citar
algunos ejemplos.

5. Favorecer la integración y complementación de diferentes tipos de energías:
solar-eléctrica, solar-biomasa, y propiciar la utilización de energías "limpias" (energía
(45)   hidroeléctrica, solar, eólica, biomasa), para no seguir contaminando nuestro medio
ambiente y bajar la factura petrolera.

1. Según la selección, ¿a qué se deben muchos desastres naturales recientes?
   (A) El crecimiento de la población y el desarrollo sin importar la naturaleza
   (B) La falta de biodiversidad en el mundo
   (C) La contaminación del aire
   (D) Los fenómenos naturales, como El Niño

2. ¿A qué se refiere "La generación de bienestar"?
   (A) Los mayores
   (B) Los menores de edad
   (C) Todos los que quieren proteger el medio ambiente
   (D) Una nueva mentalidad que apoya la construcción ecológicamente sana

3. ¿Qué medida NO propone el autor?
   (A) Aumentar el turismo en Managua
   (B) La integración de varias fuentes de energía en la construcción de edificios
   (C) Reducir la cantidad de nuevas construcciones
   (D) Construir con materiales previamente utilizados

4. ¿Por qué menciona el autor la industria de construcción?
   (A) Cree que es responsable por la mayoría de los abusos ecológicos.
   (B) Es importante para la economía de Nicaragua.
   (C) Los edificios no resisten la fuerza de los huracanes.
   (D) Es necesaria para aumentar el turismo en Nicaragua.

5. ¿En qué parte del periódico se encontraría esta selección?
   (A) Ciencias y naturaleza
   (B) Opinión
   (C) Noticias nacionales
   (D) Política

6. ¿Cómo se puede caracterizar la narradora en términos de sus sugerencias para el medio ambiente?

   (A) Optimista
   (B) Pesimista
   (C) Práctica
   (D) Dudosa

7. ¿De qué recurso natural sugiere la narradora que se aproveche?

   (A) El petróleo
   (B) La riqueza de la generación actual
   (C) La fuerza de los huracanes
   (D) El Lago Managua

Exercise 5 Paragraph Completion with Root Words

> DIRECTIONS: Read the following passage. Then write, on the line after each number, the form of the word in parenthesis needed to complete the passage correctly, logically and grammatically. In order to receive credit, you must spell and accent the word correctly. You may have to use more than one word in some cases, but you must use a form of the word given in parenthesis. Be sure to write the word on the line even if no change is needed. You have 7 minutes to read the passage and write your responses.
>
> INSTRUCCIONES: Lee el pasaje siguiente. Luego escribe en la línea a continuación de cada número la forma de la palabra entre paréntesis que se necesita para completar el pasaje de manera lógica y correcta. Para recibir crédito, tienes que escribir y acentuar la palabra correctamente. Es posible que haga falta más de una palabra. En todo caso debes usar una forma de la palabra entre paréntesis. Es posible que la palabra sugerida no requiera cambio alguno. Escribe la palabra en la línea aun cuando no sea necesario ningún cambio. Tienes 7 minutos para leer el pasaje y escribir tus respuestas.

Este artículo apareció en la edición julio/septiembre de 2003 de la revista *American Airlines Nexos*.

Recuerdan a Carrillo

El compositor mexicano Álvaro Carrillo, _(1)_ temas han sido _(2)_ en más de 15 idiomas, será recordado con una serie de festejos al observarse aquí el 33 aniversario de su muerte, dijeron sus familiares a la prensa. El autor de *La mentira*, *Sabor a mí y numerosos temas inéditos*, _(3)_ un homenaje en esta ciudad al que, según se dijo, han sido invitados sus colegas Roberto Cantoral y Armando Manzanero, y el presidente Vicente Fox.

Familiares del prolífico autor, _(4)_ en un accidente de carretera junto a su esposa María Incháustegui el 3 de abril de 1969, _(5)_ a la prensa el miércoles, que entre los festejos destacan la develación de _(6)_ busto y el lanzamiento de un disco de boleros _(7)_. "El álbum será producto de una cinta recién hallada con grabaciones interpretadas por el propio autor y que _(8)_ remasterizada digitalmente para _(9)_ fin", explicó Mario Alberto Carrillo, hijo del compositor.

En el repertorio de Carrillo figuran boleros como *Amor mío, Cancionero, Como un lunar, Un poco más, Sabrá Dios, Se te olvida, El andariego* y *Luz de luna*, entre un centenar que _(10)_ populares.

1. _____ (cuyo)

2. _____ (grabado)

3. _____ (recibir)

4. _____ (muerto)

5. _____ (decir)

6. _____ (uno)

7. _____ (inédito)

8. _____ (ser)

9. _____ (ese)

10. _____ (hacerse)

Exercise 6 Paragraph Completion without Root Words

DIRECTIONS: First read the entire passage. Then write, on the line after each number, the most logical and grammatically correct word needed to fill the corresponding blank in order to complete the passage. In order to receive credit, you must spell and accent the word correctly.

INSTRUCCIONES: Primero lea todo el pasaje. Luego escriba en la línea a continuación de cada número la palabra más lógica y gramaticalmente correcta que se necesita para llenar el espacio en blanco correspondiente. Para recibir crédito, tiene que escribir y acentuar correctamente la palabra.

Fragmento basado en un artículo publicado en el periódico colombiano en línea *El Espectador* el 5 de mayo de 2006.

Justo a tiempo

Los médicos terminaron su labor _(1)_ medio de una luz intensa y del sonido producido por la pantalla que registraba los signos vitales. La chica Margareth Nielsen padeció de los riñones desde que _(2)_ niña, pero al cumplir diecisiete _(3)_ su enfermedad se agravó y corría el riesgo de _(4)_ si no se hacía pronto _(5)_ transplante.

Durante varias semanas se buscó a un donador apropiado, pero por una _(6)_ otra razón, el deseado órgano se hacía esperar. Cuando ya casi se agotaban las esperanzas, se anunció el milagro.

Esa noche _(7)_ diciembre, Margareth fue preparada _(8)_ la intervención. Pero cuando ella entraba a la sala de operaciones, _(9)_ madre salía de allí: en secreto, había decidido darle la vida otra _(10)_.

1. _____

2. _____

3. _____

4. _____

5. _____

6. _____

7. _____

8. _____

9. _____

10. _____

Exercise 7 Informal Writing

DIRECTIONS: For the following question, you will write a message. You have 10 minutes to read the question and write your response. Your response should be at least 60 words in length.

INSTRUCCIONES: Para la pregunta siguiente, escribirás un mensaje. Tienes 10 minutos para leer la pregunta y escribir tu respuesta. Tu respuesta debe tener una extensión mínima de 60 palabras.

Tu equipo ha ganado el campeonato estatal. Escríbele un mensaje electrónico a tu mejor amigo. Salúdalo y

- cuéntale las buenas noticias
- cuéntale un poco del último partido
- invítalo a celebrar contigo

Exercise 8 Formal Writing (Integrated Skills)

DIRECTIONS: The following question is based on the accompanying sources 1-3. The sources include both print and audio material. First, you will have 7 minutes to read the printed material. Afterward, you will hear the audio material; you should take notes while you listen. Then, you will have 5 minutes to plan your response and 40 minutes to write your essay. Your essay should be at least 200 words in length.

This question is designed to test your ability to interpret and synthesize different sources. Your essay should use information from the sources to support your ideas. You should refer to ALL of the sources. As you refer to the sources, cite them appropriately. Avoid simply summarizing the sources individually.

INSTRUCCIONES: La pregunta siguiente se basa en las fuentes 1-3. Las fuentes comprenden material tanto impreso como auditivo. Primero, dispondrás de 7 minutos para leer el material impreso. Después, escucharás el material auditivo; debes tomar apuntes mientras escuches. Entonces, tendrás 5 minutos para organizar tus ideas y 40 minutos para escribir tu ensayo. El ensayo debe tener una extensión mínima de 200 palabras.

Esta pregunta se diseñó para medir tu capacidad de interpretar y sintetizar varias fuentes. Tu ensayo debe utilizar información de las fuentes que apoye tus ideas. Debes referirte a TODAS las fuentes. Al referirte a las fuentes, cítalas apropiadamente. Evita simplemente resumir las fuentes individualmente.

La cirugía estética es un fenómeno muy popular hoy en día. Discute por qué la prensa en muchas partes del mundo se ha interesado en el tema.

Fuente 1

Este artículo apareció en la página Web de *Grupo RPP* el 7 de junio de 2006.

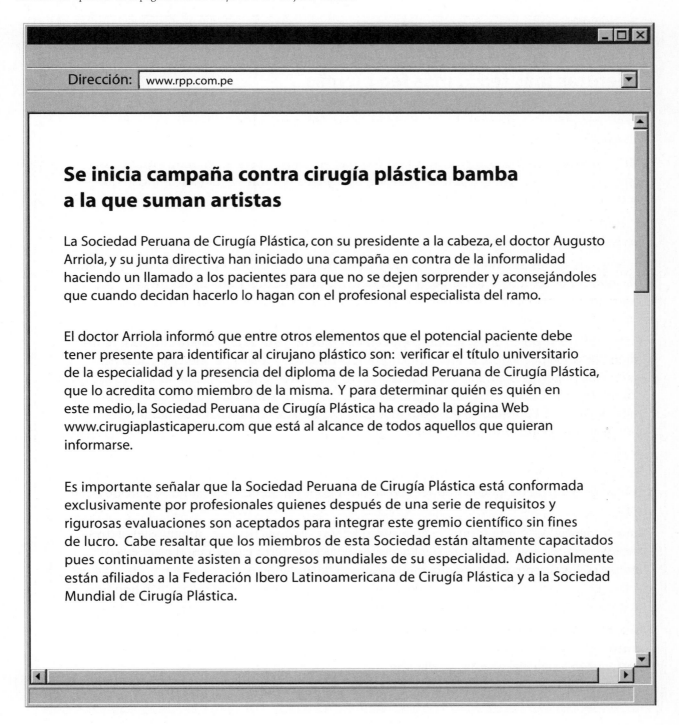

Dirección: www.rpp.com.pe

Se inicia campaña contra cirugía plástica bamba a la que suman artistas

La Sociedad Peruana de Cirugía Plástica, con su presidente a la cabeza, el doctor Augusto Arriola, y su junta directiva han iniciado una campaña en contra de la informalidad haciendo un llamado a los pacientes para que no se dejen sorprender y aconsejándoles que cuando decidan hacerlo lo hagan con el profesional especialista del ramo.

El doctor Arriola informó que entre otros elementos que el potencial paciente debe tener presente para identificar al cirujano plástico son: verificar el título universitario de la especialidad y la presencia del diploma de la Sociedad Peruana de Cirugía Plástica, que lo acredita como miembro de la misma. Y para determinar quién es quién en este medio, la Sociedad Peruana de Cirugía Plástica ha creado la página Web www.cirugiaplasticaperu.com que está al alcance de todos aquellos que quieran informarse.

Es importante señalar que la Sociedad Peruana de Cirugía Plástica está conformada exclusivamente por profesionales quienes después de una serie de requisitos y rigurosas evaluaciones son aceptados para integrar este gremio científico sin fines de lucro. Cabe resaltar que los miembros de esta Sociedad están altamente capacitados pues continuamente asisten a congresos mundiales de su especialidad. Adicionalmente están afiliados a la Federación Ibero Latinoamericana de Cirugía Plástica y a la Sociedad Mundial de Cirugía Plástica.

Fuente 2

Este artículo apareció en *BBC Mundo* el 16 de mayo de 2005.

Dirección: http://www.BBCMundo.com

Mientras más feo… más feo no más

La cirugía plástica parece estar cobrando popularidad, pero entre los hombres, como nos dice nuestra colega de la BBC Mariusa Reyes.

"El hombre es como el oso: mientras más feo, más hermoso". Éste es un refrán que parece estar perdiendo su sentido, porque cada vez más y más hombres están haciendo lo que antes era impensable por mejorar su apariencia física.

El afán del hombre moderno por no parecer feo como el oso, lo ha llevado a incursionar en un territorio que, hasta ahora, había sido casi exclusivo de las mujeres: la cirugía estética.

En muchas partes del mundo, los hombres están dejándose seducir por la vanidad y están haciéndose todo tipo de tratamientos cosméticos. En Venezuela, una de las mecas latinoamericanas de la cirugía plástica, ya no es raro encontrar hombres que se hayan hecho algo en su físico.

Eufrasio Pinzón, de 40 años, se operó en Caracas: "Bueno, ésta es la primera cirugía que me hago, fue una lipoescultura. Tenía muchos años tratando, a través del ejercicio, de bajar de peso y ponérmelo como yo quería verme. Yo soy extremadamente comilón. Pero así como era comilón, yo hacía muchísimo ejercicio. Yo me imagino que ya, con la edad, el metabolismo se hace más lento, y por más que uno quiera, no es igual a como uno se mantenía de adolescente o más joven".

El creciente número de hombres que están optando por la cirugía estética para corregir defectos físicos, quitarse unos kilos de más o unos años de encima, es un fenómeno social y psicológico que tiene mucho que ver con la forma como el hombre moderno se percibe a sí mismo.

Esta tendencia de hombres que quieren ser atractivos, sin duda tiene un alcance global y no excluye ningún contexto cultural o religioso. En países islámicos como Irán, el creciente interés de los jóvenes por la cirugía estética es uno de los fenómenos sociales más obvios. Las calles de Teherán están llenas de gente joven, en su mayoría mujeres, pero también hombres, que exhiben sus narices forradas con vendas después de haberse hecho la cirugía plástica.

El perfil del hombre que se hace cirugía estética es amplio. En términos de edad, está entre los 30 y los 60 años o más. La mayoría son profesionales o empresarios y en general pertenecen a una clase social media-alta.

Fuente 3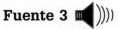

El informe, "Aumenta el número pacientes del exterior en la República Checa", se emitió por *Radio Praga* el 24 de julio de 2006.

Notas

_____

_____

_____

_____

_____

_____

_____

_____

_____

_____

_____

_____

_____

_____

_____

_____

_____

_____

_____

Exercise 9 Informal Speaking (Simulated Conversation)

DIRECTIONS: You will now participate in a simulated conversation. First, you will have 30 seconds to read the outline of the conversation. Then you will listen to a message and have one minute to read again the outline of the conversation. Afterward, the conversation will begin, following the outline. Each time it is your turn, you will have 20 seconds to respond; a tone will indicate when you should begin and end speaking. You should participate in the conversation as fully and appropriately as possible.

INSTRUCCIONES: Ahora participarás en una conversación simulada. Primero, tendrás 30 segundos para leer el esquema de la conversación. Entonces, escucharás un mensaje y tendrás un minuto para leer de nuevo el esquema de la conversación. Después, empezará la conversación, siguiendo el esquema. Siempre que te toque, tendrás 20 segundos para responder; una señal te indicará cuándo debes empezar y terminar de hablar. Debes participar en la conversación de la manera más completa y apropiada posible.

Tu amiga Elena te llama y te deja un mensaje pidiéndote que la llames cuando llegues a casa. Escucha el mensaje.

(a) El mensaje
[*You will hear the message on the recording.*
Escucharás el mensaje en la grabación.]

(b) La conversación
[*The shaded lines reflect what you will hear on the recording.*
Las líneas en gris reflejan lo que escucharás en la grabación.]

Elena:	[El teléfono suena.] Contesta el teléfono y te saluda.
Tú:	Salúdala. Dile por qué la llamaste.
Elena:	Te da una noticia.
Tú:	Reacciona a la noticia.
Elena:	Explica el concurso.
Tú:	Sugiere lo que debe hacer.
Elena:	Continúa la conversación.
Tú:	Termina la conversación. Despídete.
Elena:	Se despide y cuelga el teléfono.

Exercise 10 Formal Oral Presentation (Integrated Skills)

> DIRECTIONS: The following question is based on the accompanying printed article and audio selection. First, you will have five minutes to read the printed article. Afterwards, you will hear the audio selection; you should take notes while you listen. Then, you will have two minutes to plan your answer and two minutes to record your answer.
>
> INSTRUCCIONES: La pregunta siguiente se basa en un artículo impreso y la selección auditiva. Primero, tendrás cinco minutos para leer el artículo impreso. Después, escucharás la selección auditiva; debes tomar apuntes mientras escuches. Entonces, tendrás dos minutos para preparar tu respuesta y dos minutos para grabarla.

Imagina que tienes que dar una presentación formal ante tu clase de oratoria sobre el siguiente tema:

Se dice que la violencia en los medios de diversión afecta el comportamiento de los jóvenes.

El artículo impreso habla de los riesgos de exponer a los niños a los programas violentos; el informe de la radio discute la violencia en la escuela debida a los videojuegos. En una presentación formal, explica cómo estos programas y videojuegos llevan a la conducta violenta de los jóvenes.

Texto impreso

Fuente: Este artículo apareció en la revista *Agricultural Communications Services* de la Oklahoma State University el 31 de marzo de 2003.

La violencia de los medios de comunicación impacta en niños y familias

El impacto de la violencia de los medios de comunicación puede influenciar dramáticamente a niños de todas las edades.

Películas, televisión, videos e Internet, han sido las fuentes externas de información más poderosas acerca de la sociedad y de relaciones interpersonales para los niños, dijo Debbie Richardson, especialista en desarrollo infantil del Servicio de Extensión de la Cooperativa de Oklahoma.

"Los chicos empiezan a ver la televisión todos los días a una edad muy temprana, a veces tan temprano como a los seis meses de edad, y son amantes de la televisión a la corta edad de dos o tres años," dijo Richarson. "La gran mayoría de los chicos americanos ya han visto aproximadamente 200.000 actos de violencia en televisión, incluyendo 16.000 muertes, a los 18 años."

Aún más, el 67 por ciento de las familias con niños tienen sistemas de videojuegos. Los temas violentos componen del 60 al 90 por ciento de los videojuegos más populares, dijo Richardson.

De acuerdo a la Asociación Americana de Psicología, existen cuatro efectos a largo plazo por ver violencia. Éstos incluyen actitudes agresivas y anti-sociales y diferentes comportamientos. También aumentan los miedos de ser o transformarse en una víctima, la insensibilidad a la violencia, las víctimas de la violencia, el apetito por la violencia, y la violencia en los juegos y en la vida real.

"Los niños más chicos son los más afectados por la violencia de la programación de los medios de comunicación," dijo. "Ellos no tienen ni las estructuras cognoscitivas ni emocionales para entender el contexto de la violencia. No captan las consecuencias del comportamiento, e imitan la violencia fácilmente."

Informe de la radio 🔊))))

Este informe, titulado "Videojuegos que entrenan a niños y adolescentes para ser violentos en la escuela", se emitió por *Radio Naciones Unidas* el 24 de enero de 2006.

Notas

_____

_____

_____

_____

_____

_____

_____

_____

_____

_____

_____

_____

_____

_____

_____

_____

_____

_____

_____

_____

_____

_____

Complete Practice Exam 2

Complete Practice Exam 2

Exercise 1 Short Dialogues

DIRECTIONS: You will now listen to a selection. After each one, you will be asked some questions about what you have just heard. Select the best answer to each question from among the four choices printed in your test booklet and fill in the corresponding oval on the answer sheet.

INSTRUCCIONES: Ahora vas a escuchar una selección. Después de cada una se te harán varias preguntas sobre lo que acabas de escuchar. Para cada pregunta elige la mejor respuesta de las cuatro opciones escritas en tu libreta de examen y rellena el óvalo correspondiente en la hoja de respuestas.

1. (A) Detrás de la caja
   (B) Llenando unos papeles
   (C) Haciendo cola
   (D) En frente del banco

2. (A) Una mujer
   (B) Un empleado
   (C) Un policía
   (D) Un luchador

3. (A) La máscara de un ladrón
   (B) El nombre de una persona
   (C) El peso de todos los ladrones
   (D) El color de la camisa de uno de los ladrones

4. (A) Tirarse al piso
   (B) Quitarse la ropa
   (C) Abrir los ojos
   (D) Respirar profundamente

Exercise 2 Short Narratives

DIRECTIONS: You will now listen to a selection. After each one, you will be asked some questions about what you have just heard. Select the best answer to each question from among the four choices printed in your test booklet and fill in the corresponding oval on the answer sheet.

INSTRUCCIONES: Ahora vas a escuchar una selección. Después de cada una se te harán varias preguntas sobre lo que acabas de escuchar. Para cada pregunta elige la mejor respuesta de las cuatro opciones escritas en tu libreta de examen y rellena el óvalo correspondiente en la hoja de respuestas.

1. (A) Un anfibio
   (B) Un pelotero
   (C) Un boricua
   (D) Un poema

2. (A) Sólo sale durante el día.
   (B) No puede sobrevivir fuera de Puerto Rico.
   (C) Cambia de colores constantemente.
   (D) Pesa aproximadamente cinco libras.

3. (A) Para preparar su plato nacional
   (B) Para buscar a su pareja
   (C) Para expresar su nacionalidad
   (D) Para decorar su hogar

4. (A) Su peso
   (B) Su música
   (C) Su dulzura
   (D) Su brillo

5. (A) Poetas y escritores
   (B) Médicos y cirujanos
   (C) Constructores y arquitectos
   (D) Deportistas y entrenadores

Exercise 3 Long Dialogues and Narratives

DIRECTIONS: You will now listen to a selection of about five minutes duration. First, you will have two minutes to read the questions silently. Then you will hear the selection. You may take notes in the blank space provided as you listen. You will not be graded on these notes. At the end of the selection, you will answer a number of questions about what you have heard. Based on the information provided in the selection, select the BEST answer for each question from among the four choices printed in your test booklet and fill in the corresponding oval on the answer sheet.

INSTRUCCIONES: Ahora escucharás una selección de unos cinco minutos de duración. Primero tendrás dos minutos para leer las preguntas en voz baja. Después escucharás la selección. Se te permite tomar apuntes en el espacio en blanco de esta hoja mientras escuches. Estos apuntes no serán calificados. Al final de la selección elige la MEJOR respuesta a cada pregunta de las cuatro opciones impresas en tu libreta de examen y rellena el óvalo correspondiente en la hoja de respuestas.

1. ¿Por qué los padres de "los criaditos" entregan sus hijos a personas de la ciudad?
   (A) Para que vayan a la escuela
   (B) Para que aprendan a viajar
   (C) Para ser maltratados físicamente
   (D) Para que sean curas y monjas

2. Según esta narración, muchos de estos niños no asisten a la escuela porque
   (A) no les gusta estudiar.
   (B) la escuela está muy lejos.
   (C) su prioridad es el trabajo.
   (D) no tienen dinero para pagar.

3. ¿De qué nivel social son la mayoría de las familias que tienen criaditos?
   (A) Alto mediano
   (B) Mediano bajo
   (C) Bajo
   (D) Muy alto

4. ¿Cómo son explotadas las trabajadoras domésticas en Paraguay?
   (A) Reciben menos del salario mínimo.
   (B) Son maltratadas psicológicamente.
   (C) Sólo tienen un día de descanso.
   (D) Son vendidas por intermediarios.

5. ¿Qué es lo que más les duele a los criaditos de su situación?
   (A) No poder asistir a la escuela
   (B) No hablar español perfectamente
   (C) Aprender a usar los enseres domésticos
   (D) El desprenderse de su familia

Exercise 4 Reading Comprehension

DIRECTIONS: Read the following passage carefully for comprehension. The passage is followed by a number of incomplete statements or questions. Select the completion or answer that is best according to the passage and fill in the corresponding oval on the answer sheet.

INSTRUCCIONES: Lee con cuidado el siguiente pasaje. El pasaje va seguido de varias preguntas u oraciones incompletas. Elige la mejor respuesta o terminación, de acuerdo con el pasaje, y rellena el óvalo correspondiente en la hoja de respuestas.

Este artículo apareció en el periódico ecuatoriano *El Telégrafo* el 12 de junio de 2006.

El Día Mundial del Medio Ambiente

El Día Mundial del Medio Ambiente fue instituido por la Asamblea General de la ONU en 1972 y se celebra cada 5 de junio. Simultáneamente se creó el Programa de las Naciones Unidas para el Medio Ambiente, y desde aquella fecha histórica, en el orbe y principalmente en el Ecuador, se han multiplicado las campañas para motivar el cuidado
(5)   de la Tierra, considerada como un ecosistema.

En el Ecuador la iniciativa para la celebración de este acontecimiento, la dirige el Ministerio del Ambiente, con la participación activa de jóvenes. En el Ministerio de Agricultura y Ganadería se expone una casa abierta sobre el entorno y desarrollo sustentable con la participación de instituciones públicas, privadas y organismos
(10)   internacionales. Otros actos que incluyen siembras de árboles de especies nativas, exposiciones sobre la capa de ozono, de orquídeas y proyectos en el campo ambiental completan el programa para resaltar la importancia de la fecha.

En nuestra ciudad los festejos son variados, una feria por un Mejor Ambiente en el Malecón 2000, también destacan INOCAR, Instituto Nacional de Pesca, Universidad de
(15)   Guayaquil, Dirección de la Marina Mercante, Subsecretaría de salud, con exposiciones de proyectos, recomendaciones sobre plantaciones de árboles, promoción de reciclajes y campañas de limpieza. Es que hay que luchar contra todos los males que afectan el medio ambiente.

La preservación del medio ambiente implica proteger a la tierra y con ello se pretende
(20)   que todas las personas y sus acciones disfruten de un futuro más próspero y seguro. Es la hora de promover nuevos compromisos para cuidar la tierra, mediante la creación de estructuras gubernamentales permanentes para el manejo ambiental, compartir entre los países, sus respectivas políticas en materia medioambiental, para obtener mejores resultados.

1. ¿En qué parte del periódico aparecería esta selección?
   (A) Las noticias nacionales
   (B) La página de opinión
   (C) Las noticias internacionales
   (D) La sección de ciencias

2. ¿Cómo reaccionó Ecuador a la acción de las Naciones Unidas acerca del medio ambiente?
   (A) Estableció un comité para estudiar los problemas ecológicos.
   (B) Se encargó un ministerio gubernamental de fomentar campañas para conservación.
   (C) Está trabajando con los otros países de Sudamérica.
   (D) Hizo nuevas leyes para asegurar la conservación de la naturaleza.

3. ¿En qué consiste el equipo que se dedica a realizar los consejos de la ONU?
   (A) Empresas grandes y pequeñas
   (B) Empresas grandes y naturalistas
   (C) El gobierno y jóvenes
   (D) Sólo los jóvenes

4. ¿Qué significa "Es que hay que luchar contra todos los males que afectan el medio ambiente"?
   (A) El gobierno resiste los esfuerzos de proteger el medio ambiente.
   (B) Muchas compañías grandes resisten los esfuerzos de proteger el medio ambiente.
   (C) La sociedad en general no considera el impacto de no proteger el medio ambiente.
   (D) Toda la sociedad tiene que deshacer los muchos daños ecológicos que se han hecho.

5. ¿Cuál es el tono de esta selección?
   (A) Resignado
   (B) Pesimista
   (C) Orgulloso
   (D) Frustrado

Exercise 5 Paragraph Completion with Root Words

DIRECTIONS: Read the following passage. Then write, on the line after each number, the form of the word in parenthesis needed to complete the passage correctly, logically and grammatically. In order to receive credit, you must spell and accent the word correctly. You may have to use more than one word in some cases, but you must use a form of the word given in parenthesis. Be sure to write the word on the line even if _no_ change is needed. You have 7 minutes to read the passage and write your responses.

INSTRUCCIONES: Lee el pasaje siguiente. Luego escribe en la línea a continuación de cada número la forma de la palabra entre paréntesis que se necesita para completar el pasaje de manera lógica y correcta. Para recibir crédito, tienes que escribir y acentuar la palabra correctamente. Es posible que haga falta más de una palabra. En todo caso debes usar una forma de la palabra entre paréntesis. Es posible que la palabra sugerida no requiera cambio alguno. Escribe la palabra en la línea aun cuando _no_ sea necesario ningún cambio. Tienes 7 minutos para leer el pasaje y escribir tus respuestas.

Este artículo apareció en la edición julio/septiembre de 2003 de la revista *American Airlines Nexos*.

Bicicletas plegables

Todo _(1)_, incluso las bicicletas plegables, ese artilugio que parecía desaparecido _(2)_ años. Con las innovaciones _(3)_ y los nuevos diseños, la bicicleta plegable ha _(4)_ nueva vida y ahora se puede conseguir calidad, no sólo comodidad, en este medio de transporte tan deportivo.

La conveniencia de una bicicleta que _(5)_ en el maletero _(6)_ importante a la hora de practicar el ciclismo. Usted _(7)_ llevarla a diario y detenerse en un parque tras la jornada laboral para _(8)_ un paseo, por ejemplo.

Diversas compañías fabrican nuevas bicicletas plegables de _(9)_ calidad tanto en el continente americano como en Europa, donde nunca _(10)_ por completo.

1. _____ (volver)

2. _____ (hacer)

3. _____ (técnico)

4. _____ (cobrar)

5. _____ (caber)

6. _____ (ser)

7. _____ (poder)

8. _____ (dar)

9. _____ (grande)

10. _____ (desaparecer)

Exercise 6 Paragraph Completion without Root Words

> DIRECTIONS: First read the entire passage. Then write, on the line after each number, the most logical and grammatically-correct word needed to fill the corresponding blank in order to complete the passage. In order to receive credit, you must spell and accent the word correctly.
>
> INSTRUCCIONES: Primero lee todo el pasaje. Luego escribe en la línea a continuación de cada número la palabra más lógica y gramaticalmente correcta que se necesita para llenar el espacio en el blanco correspondiente. Para recibir crédito, tienes que escribir y acentuar correctamente la palabra.

Este artículo se publicó por la *Agencia EFE* el 5 de mayo de 2006.

El retrato de Dora Maar marca el segundo mejor precio pagado en subasta por una obra de Pablo Picasso

 (1) artista español Pablo Picasso marcó ayer su segundo mejor precio en subasta por la venta de un retrato (2) creador malagueño en 95,2 millones de dólares.

La obra de Picasso, *Dora Maar au chat,* (3) adquirida por un comprador anónimo a un precio (4) por encima del estimado (5) los expertos de Sotherby's, que era de entre 50 y 70 millones de dólares.

Este precio de venta, que incluye las comisiones de la firma, representa no sólo el segundo mejor para Picasso (6) el segundo mejor para cualquier obra de (7) vendida en una subasta, dijo David Norman, director del departamento de arte moderno e impresionista de Sotherby's.

Es el propio Picasso quien mantiene el récord del precio (8) alto pagado por una obra de arte en una subasta, de 104 millones de dólares, alcanzado en la misma casa Sotherby's, (9) el 2004, por la venta de su pintura *Chico con pipa*.

El retrato de Dora Maar, que fue puesto a la venta por la familia Gitwitz, era de los más grandes (10) en 1941, en el momento más álgido de su tempestuosa relación.

1. _____

2. _____

3. _____

4. _____

5. _____

6. _____

7. _____

8. _____

9. _____

10. _____

Exercise 7 Informal Writing

DIRECTIONS: For the following question, you will write a message. You have 10 minutes to read the question and write your response. Your response should be at least 60 words in length.

INSTRUCCIONES: Para la pregunta siguiente, escribirás un mensaje. Tienes 10 minutos para leer la pregunta y escribir tu respuesta. Tu respuesta debe tener una extensión mínima de 60 palabras.

Recibes un mensaje electrónico de tu amigo, en el que te explica que se le perdió tu CD favorito. Responde al mensaje. Salúdalo y

- expresa tu reacción
- dile por qué te sientes así
- ofrece una solución

Exercise 8 Formal Writing

DIRECTIONS: The following question is based on the accompanying sources 1–3. The sources include both print and audio material. First, you will have 7 minutes to read the printed material. Afterward, you will hear the audio material; you should take notes while you listen. Then, you will have 5 minutes to plan your response and 40 minutes to write your essay. Your essay should be at least 200 words in length.

This question is designed to test your ability to interpret and synthesize different sources. Your essay should use information from the sources to support your ideas. You should refer to ALL of the sources. As you refer to the sources, cite them appropriately. Avoid simply summarizing the sources individually.

INSTRUCCIONES: La pregunta siguiente se basa en las fuentes 1–3. Las fuentes comprenden material tanto impreso como auditivo. Primero, dispondrás de 7 minutos para leer el material impreso. Después, escucharás el material auditivo; debes tomar apuntes mientras escuches. Entonces, tendrás 5 minutos para organizar tus ideas y 40 minutos para escribir tu ensayo. El ensayo debe tener una extensión mínima de 200 palabras.

Esta pregunta se diseñó para medir tu capacidad de interpretar y sintetizar varias fuentes. Tu ensayo debe utilizar información de las fuentes que apoye tus ideas. Debes referirte a TODAS las fuentes. Al referirte a las fuentes, cítalas apropiadamente. Evita simplemente resumir las fuentes individualmente.

¿Cuál debería de ser el papel del gobierno en establecer un salario mínimo?

Fuente 1

Este artículo apareció en línea en *La Prensa* de Panamá el 22 de septiembre de 2005.

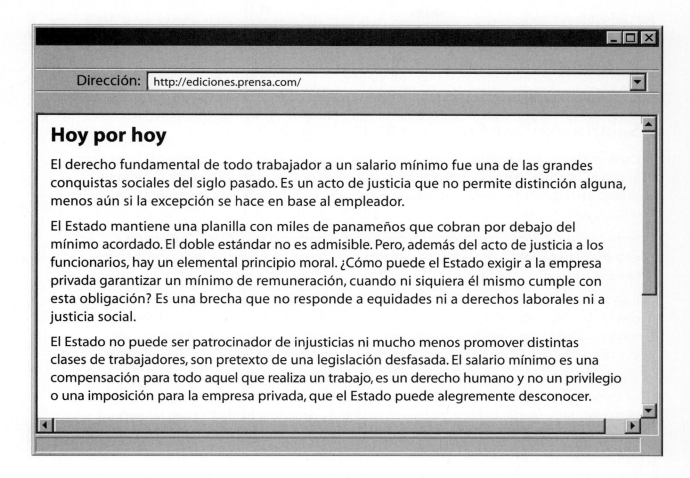

Dirección: http://ediciones.prensa.com/

Hoy por hoy

El derecho fundamental de todo trabajador a un salario mínimo fue una de las grandes conquistas sociales del siglo pasado. Es un acto de justicia que no permite distinción alguna, menos aún si la excepción se hace en base al empleador.

El Estado mantiene una planilla con miles de panameños que cobran por debajo del mínimo acordado. El doble estándar no es admisible. Pero, además del acto de justicia a los funcionarios, hay un elemental principio moral. ¿Cómo puede el Estado exigir a la empresa privada garantizar un mínimo de remuneración, cuando ni siquiera él mismo cumple con esta obligación? Es una brecha que no responde a equidades ni a derechos laborales ni a justicia social.

El Estado no puede ser patrocinador de injusticias ni mucho menos promover distintas clases de trabajadores, son pretexto de una legislación desfasada. El salario mínimo es una compensación para todo aquel que realiza un trabajo, es un derecho humano y no un privilegio o una imposición para la empresa privada, que el Estado puede alegremente desconocer.

Fuente 2

Este artículo, por Jacob G. Hornberger, apareció en la página Web de *The Future of Freedom Foundation* en enero de 1999.

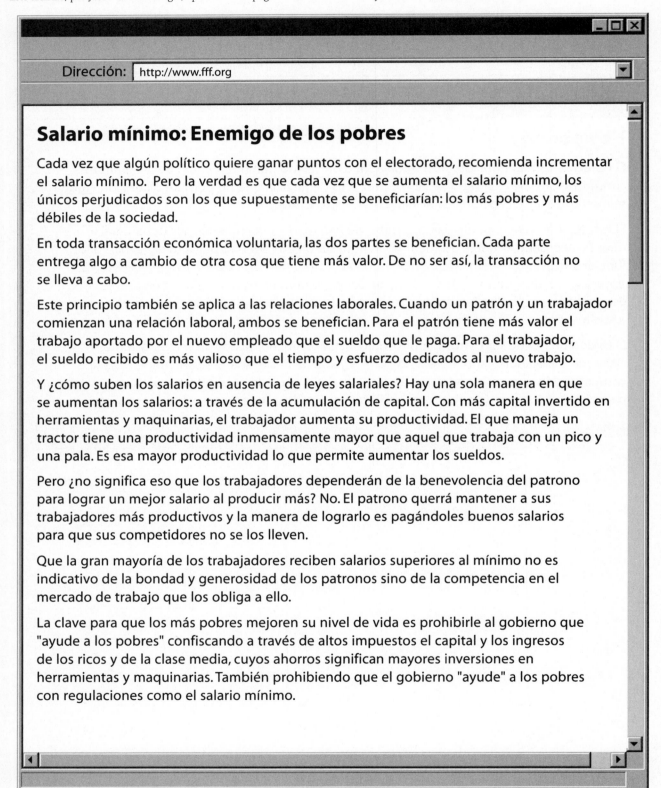

Dirección: http://www.fff.org

Salario mínimo: Enemigo de los pobres

Cada vez que algún político quiere ganar puntos con el electorado, recomienda incrementar el salario mínimo. Pero la verdad es que cada vez que se aumenta el salario mínimo, los únicos perjudicados son los que supuestamente se beneficiarían: los más pobres y más débiles de la sociedad.

En toda transacción económica voluntaria, las dos partes se benefician. Cada parte entrega algo a cambio de otra cosa que tiene más valor. De no ser así, la transacción no se lleva a cabo.

Este principio también se aplica a las relaciones laborales. Cuando un patrón y un trabajador comienzan una relación laboral, ambos se benefician. Para el patrón tiene más valor el trabajo aportado por el nuevo empleado que el sueldo que le paga. Para el trabajador, el sueldo recibido es más valioso que el tiempo y esfuerzo dedicados al nuevo trabajo.

Y ¿cómo suben los salarios en ausencia de leyes salariales? Hay una sola manera en que se aumentan los salarios: a través de la acumulación de capital. Con más capital invertido en herramientas y maquinarias, el trabajador aumenta su productividad. El que maneja un tractor tiene una productividad inmensamente mayor que aquel que trabaja con un pico y una pala. Es esa mayor productividad lo que permite aumentar los sueldos.

Pero ¿no significa eso que los trabajadores dependerán de la benevolencia del patrono para lograr un mejor salario al producir más? No. El patrono querrá mantener a sus trabajadores más productivos y la manera de lograrlo es pagándoles buenos salarios para que sus competidores no se los lleven.

Que la gran mayoría de los trabajadores reciben salarios superiores al mínimo no es indicativo de la bondad y generosidad de los patronos sino de la competencia en el mercado de trabajo que los obliga a ello.

La clave para que los más pobres mejoren su nivel de vida es prohibirle al gobierno que "ayude a los pobres" confiscando a través de altos impuestos el capital y los ingresos de los ricos y de la clase media, cuyos ahorros significan mayores inversiones en herramientas y maquinarias. También prohibiendo que el gobierno "ayude" a los pobres con regulaciones como el salario mínimo.

Fuente 3 🔊))))

(AUDIO): Este informe, que se titula "Mejora empleo en Latinoamérica sin aumento salarial", se emitió por *Radio Naciones Unidas* el 2 de agosto de 2006.

Notas

_____

_____

_____

_____

_____

_____

_____

_____

_____

_____

_____

_____

_____

_____

_____

_____

_____

_____

_____

_____

_____

Exercise 9 Informal Speaking (Simulated Conversation)

DIRECTIONS: You will now participate in a simulated conversation. First, you will have 30 seconds to read the outline of the conversation. Then you will listen to a message and have one minute to read again the outline of the conversation. Afterward, the conversation will begin, following the outline. Each time it is your turn, you will have 20 seconds to respond; a tone will indicate when you should begin and end speaking. You should participate in the conversation as fully and appropriately as possible.

INSTRUCCIONES: Ahora participarás en una conversación simulada. Primero, tendrás 30 segundos para leer el esquema de la conversación. Entonces, escucharás un mensaje y tendrás un minuto para leer de nuevo el esquema de la conversación. Después, empezará la conversación, siguiendo el esquema. Siempre que te toque, tendrás 20 segundos para responder; una señal te indicará cuándo debes empezar y terminar de hablar. Debes participar en la conversación de la manera más completa y apropiada posible.

Llegas a casa y escuchas un mensaje de la secretaria de tu oculista. Escucha el mensaje.

(a) El mensaje
   [*You will hear the message on the recording.*
   Escucharás el mensaje en la grabación.]

(b) La conversación
   [*The shaded lines reflect what you will hear on the recording.*
   Las líneas en gris reflejan lo que escucharás en la grabación.]

Secretaria:	Te saluda.
Tú:	Salúdala. Dile por qué llamas.
Secretaria:	Te informa de lo que tienes que hacer.
Tú:	Indícale cuándo te gustaría una cita con el médico.
Secretaria:	Te da malas noticias.
Tú:	Expresa tu desacuerdo. Infórmale qué acción piensas tomar.
Secretaria:	Te sugiere algo.
Tú:	Tomas una decisión y te despides.
Secretaria:	Se despide.

Exercise 10 Formal Oral Presentation (Integrated Skills)

> DIRECTIONS: The following question is based on the accompanying printed article and audio selection. First, you will have five minutes to read the printed article. Afterwards, you will hear the audio selection; you should take notes while you listen. Then, you will have two minutes to plan your answer and two minutes to record your answer.
>
> INSTRUCCIONES: La pregunta siguiente se basa en el artículo impreso y la selección auditiva. Primero, tendrás cinco minutos para leer el artículo impreso. Después, escucharás la selección auditiva; debes tomar apuntes mientras escuchas. Entonces, tendrás dos minutos para preparar tu respuesta y dos minutos para grabarla.

Imagina que tienes que dar una presentación formal ante tu clase de español sobre el siguiente tema:

El cuento oral siempre ha sido una manera de transmitir información de una generación a otra.

El artículo impreso habla del cuentacuentos; el informe de la radio discute la creación de un software pare preservar historias para futuras generaciones. En una presentación formal, comenta sobre cómo la tecnología ha influenciado este arte.

Texto impreso

Fuente: Este artículo apareció en la página Web de *Cardona Gamio Ediciones* en el año 2002.

El cuentacuentos

Contar de padres a hijos, sin que el argumento merme o se distorsione, es todo un arte, y al parecer no un arte en exceso difícil puesto que los resultados de esta tradición no impuesta y sí placenteramente aceptada, han llegado hasta nuestros días de la mano escritora de personajes tan ilustres como Charles Perrault o los hermanos Grimm, auténticos notarios de un mundo de leyendas y consejas que si pervivieron fue porque antes, durante incontables generaciones, hubo quienes se preocuparon de ello simplemente porque les gustaba relatarlas. Y estas gentes fueron muchas y de varia condición, principalmente viajeros que recorrían leguas y caminos y después, por una comida y una humilde yacija, deleitaban a sus oyentes con la narración de aventuras increíbles que siempre habían llevado a cabo otros. Ahora bien, en ocasiones, si el viajero era una personalidad —recordemos a Marco Polo y sus viajes—, los relatos sonaban en palacios, o en mansiones de nobles o de adinerados comerciantes, pero el efecto y el resultado eran siempre los mismos, calando tan hondo que fueron sedimento en la memoria y herencia transmitida de padres a hijos hasta el punto que, hoy en día, abuelos y abuelas, tíos y tías, padres, madres, hermanos mayores, y muchas más personas, pueden contar cuentos que todos conocemos a los niños y, a veces, a los no tan niños, porque la tradición continúa vigente en boca de modernos, y románticos, cuentacuentos que van a escuelas, a librerías, a bares o a cafés y narran un cuento; para los niños, infantil —que estimule en ellos el deseo de la lectura— y, para los adultos, uno apropiado a su edad —recordatorio de que todavía existe algo que se llama leer.

En Argentina, no hace mucho, y pese a su desesperada situación actual, se hizo un llamamiento a las abuelas para que fuesen a los colegios a contar cuentos con objeto de que la tradición no se olvidase, lo que dice mucho acerca de la cultura popular y nos hace creer que, a pesar de todos sus defectos, la humanidad todavía tiene cualidades buenas; pocas, pero las tiene.

Informe de la radio 🔊))))

Fuente: Este informe, que se titula "Nuevas tecnologías para conectar a las generaciones", se emitió por *Radio Naciones Unidas* el 17 de febrero de 2006.

Notas

_____

_____

_____

_____

_____

_____

_____

_____

_____

_____

_____

_____

_____

_____

_____

_____

_____

_____

_____

_____

_____

_____

Appendices

Appendix A

Key Vocabulary Spanish / English

abarrotes small package;
   tienda de abarrotes
   grocery store

abastecimiento provisions

abeja bee

abordar to undertake, to deal
   with

albañil bricklayer

acendrado purified, refined

accionista stockholder

acciones stock, shares

acoger to welcome, receive, host

acorazar to become firm,
   ironclad

acoso harassment

adiestramiento training

afiche poster

afán eagerness, zeal

agradecido (estar) to be
   grateful for.

agrado pleasure

agreste rustic

ahorrar to save

ajedrez chess

albedrío free will

albergar to house, to host

álgido cold, icy, frigid

almacén department store,
   warehouse

altavoz loudspeaker

ámbito boundary, limit

ambulante traveling

amenazante threatening

amonestado admonishment

angustia anguish

anhelo yearning, longing

apoderado manager

aportar to contribute

aportación contribution

apretar to press, to squeeze

artesanía crafts

arrabales outskirts, environs

arrastrar to drag

arrojar to throw

asedio siege

asentamiento land settlement

asolado destroyed, pillaged

atolondrado bewildered

atañer to pertain to

ataúd coffin

aunar to unite

axila arm pit

balazo shot, bullet wound

bandolero bandit

barbilla chin

baranda rail

barranco gorge, ravine

beca scholarship

bienes raíces real estate

boato show, pomp

bolsa de valores stock market

boricua native of Puerto Rico

bosquejo outline

brindar to offer, to toast
   (beverage)

broma joke

brújula compass

buceo scuba diving

bufete law firm

butaca arm chair

cachibache junk

caja cash register, teller window

cajero automático automatic
   teller (ATM)

cajón drawer

capricho whim

caprichoso whimsical

caracoles snails, snail shells

cauteloso cautious

cautiverio captivity

cazar to hunt

celoso jealous

cenizas ashes

cerradura lock

cifra figure, number

clavo nail

cobardía cowardice

cola line **(hacer cola)** to get on
   line

cólera anger

comparsa carnival troupe

concesionario car dealership;
   licensee

contador bookkeeper, account-
   ant; meter

cosechar to reap, to harvest

cotidiano daily

cura priest

damas checkers

dar un salto to switch over to

décimo lottery ticket

decreto decree

degollar to behead

delito crime

demanda law suit

denuncia negative report

derrengar to bend, to cripple

desabrocharse to unbotton, to unbuckle

descalzo barefoot

desembocar to end in, to lead into

desfasado out of phase

desmayarse to faint

desparramar to spread

desperdicio waste

desplomarse to collapse

desprecio scorn, contempt

desprender to issue from, to come from

destrozo destruction

didáctico instructional

difundir to publish, to disseminate, to broadcast

difunto dead

discurrir roam, wander, reflect on

diseñar to design

disparar to shoot, to fire

divisa foreign currency

docente teacher, instructor

duro five peseta coin (old Spanish currency)

eje axis

empadronado registered

empañar to tarnish

empedernido hard-hearted

emprender to undertake

empujar to push

encuesta survey

enclavado situated

engañoso deceitful, tricky

engarzar link, connect

ensayar to practice, to rehearse

enser doméstico electrical appliance

entorno environment

entraña insides, guts

envase bottle, jar

escaso scarce

escombro debris

escrutar to scrutinize

escudería (motorcycle, car) squad, team

espanto fright

espesor thickness, density

espuma foam

esquilmado impoverished

esquivarse to avoid, to evade

estancado stagnant

estratagema craftiness

estreñimiento constipation

fichero file cabinet

filo edge, ridge

flagelo scourge

fomentar to foster, to promote

forastero stranger, outsider, foreigner

forrado lined, covered

franela flannel

franqueo postage

galardonado awarded

ganga bargain

garabatear to scribble

gatillo trigger

gestión management

gestionar to manage, negotiate

gremio body, society, company

grosor thickness, bulk

guarismo figure, number

guisar to cook, to stew

hazaña feat

herencia heritage

hígado liver

hilo thread

hincha sports fan

hipoteca mortgage

holgado loose

huelga strike

huir to flee

hule rubber

imprescindible indispensable, essential

incógnita unknown

inédito unpublished

infarto heart attack

insalubre unhealthy

insólito unusual

invertir to invest; to invert

jornalero day laborer

jubilación retirement

jubilarse to retire

lealtad loyalty

ladrar to bark

legado legacy

lejía wash water, bleach, lye

lema slogan

liviano lightweight

loa praise, short dramatic poem

lograr to achieve, to attain

lucro gain, profit

llanto weeping

malabarista juggler

marea tide

maroma knot; perilous undertaking

matar un rato to kill time

miel honey

mendigar to beg for

menoscabado diminished

mermar to lessen, shrink, wear away

mezquino stingy

morder to bite

muchedumbre crowd

muelle dock, pier

muro wall

multa fine, ticket

navaja blade

obsequio gift

ocio leisure

oculista optician

oficio trade, craft, business

oleaje rush of waves

ondular to wave

orbe world

oriundo native of, originating

oso bear

otorgar to grant, to confer (upon)

pañero textile, dry goods

párroco parish priest

patín skate

patria native land

paulatinamente little by little

pauta standard, norm

pegajoso attractive, alluring

percance mishap

peregrinaje pilgrimage

peregrino pilgrim

pieza part, piece

pleito dispute, contention, strife, lawsuit

plumero feather duster

pormenorizado detailed

posada inn; (Mex) pre-Christmas celebration

postrado laying down

pudrir to rot

quevedos eyeglasses supported on the nose

quincena period of fifteen days

quirófano operating room, operating theatre

rabia fury, rage

rallar to grate

ramas branches, areas

raso clear, plain, flat; soldado raso private soldier

rayuela hopscotch

recalcar to stress

reclamo formal complaint

reconvenir to reprimand

recorrer to run through, travel, cover (territory)

recoveco bend, turn, twist

reembolso reimbursement

regir to rule, manage, govern, direct

reivindicativo that recovers, that regains possession of

remate (auction) sale

remesa sending of goods, remittance of money

reo offender, criminal

reto challenge

rezar to pray

ribera river bank

riñón kidney

risco cliff

ruborizar to blush

sábana sheet

sacerdote priest

salero salt shaker

sarmiento vine shoot

secuela consequence, result

secuestrado kidnapped

secundar to favor

sede seat, headquarters

semilla seed

sendos their respective

señas address

sepultar to bury

sequía drought

siembra planting

sigilo discretion

so under

soberbio magnificent, superb

sobretodo overcoat

soga rope

solar parcel of land

sordo deaf

subasta auction

sucursal branch (office)

surtidor pump

taller workshop

tarima dais, platform

tejado rooftop

tenaz persistent

temor fear

terco stubborn

tibia lukewarm

tintero ink bottle

trajinar to deceive

tramitación steps, procedure

tributación system of taxation

ubicado located

vaivén fluctuation

varón male child

verdugo executioner

verja fence

viuda widow

yacija bed, crouch

yugo yoke

zafacón garbage can

Appendix B

Expressions and Useful Transitions

To show location:
a la derecha to the right
a la izquierda to the left
a lo largo de along/throughout
abajo down below
al lado de beside
alrededor de around
bajo below
cerca de by/near
debajo de beneath
delante de in front of
dentro de inside
detrás de behind
detrás de behind/in back of
en in/on/into/onto/at
encima de on top of
entre between/among
fuera de off of/outside of
más allá de beyond
sobre over/above

To indicate time:
a at
a eso de about
antes de before
cuando when
después afterward
después de after
durante during/for (length of time)
en seguida immediately
entonces then
hasta until
hoy today
hoy día nowadays
luego then

mañana tomorrow
más tarde later
mientras while
mientras tanto meanwhile
por fin finally
pronto soon
próximo next
siguiente following
tan pronto como as soon as
todavía/aún yet/still
ya already

To compare:
además (de) besides
como as
como like
de la misma manera in the same way
igualmente likewise
también also, too

To contrast:
a pesar de despite
aunque even though
de otra forma otherwise
pero but
pero however
sin embargo even so/nevertheless
sino but
sino rather

To emphasize:
aun even
de hecho in fact/as a matter of fact
de verdad really

otra vez again
para repetir to repeat
por eso therefore/for this reason
por lo tanto therefore
subrayar to underscore
verdaderamente truly

To conclude or summarize:
al fin y al cabo in the end
como resultado as a result
en fin in conclusion/in short
en resumen in summary
finalmente finally
para resumir to sum up
por eso therefore
por lo tanto therefore

To add information:
además additionally
otro another
por ejemplo for example
próximo next
también also/too

To clarify:
en otras palabras in other words
es decir that is to say
o sea in other words

To indicate an outcome:
así que so
de manera que so
de modo que so

Appendix C

Useful Phrases to Write a Personal Message

To greet the recipient

Querido/a amigo/a

Distinguido/a/ señor/a

Estimados señores

¡Hola, Pedro!

Querido Juan/ Querida Milagros

To begin a message

¡Muchas gracias por tu carta!

Te escribo unas líneas para decirte que…

Con la presente quiero informarte que…

¡Hace mucho que no sé nada de ti!

¿Qué tal?

¡Por fin me has escrito!

¡No te imaginas lo que me ha pasado…

¡Tenía muchas ganas de saber de ti!

¿Quieres saber lo que me ha pasado?

To ask a question or to request something

Me gustaría saber si…

¿Podrías…?

¿Serías tan amable de…?

Quisiera pedirte un favor…

¿Tú crees que…?

To advise

Si quieres que te dé mi opinión…

Para mí…

Yo creo que…

¿Quieres que te dé un consejo?

Yo, en tu lugar…

To propose something

¿Te apetece…?

¿Qué piensas hacer…?

¿Por qué no…?

¿Quieres que…?

To close a message

Con todo mi cariño…

Un beso muy fuerte…

Tu amigo/a…

¡Hasta pronto!

¡No te olvides de escribirme!

¡Adiós!

Appendix D

Useful Phrases to Discuss a Text or Audio Selection

To introduce a text

El texto se titula…

Se trata de un breve texto…

Se trata de un artículo sobre…

To summarize content

Este texto habla de…

El argumento principal del texto es…

Además, dice que…

También habla de…

Los personajes principales son…

Lo principal es que…

Al final cuenta que…

To make personal comments about the text

Yo creo que…

Para mí, es importante que…

En segundo lugar, creo que…

Los aspectos más importantes son…

To draw a conclusion

Por tanto, opino que…

Para terminar…

En fin…

En resumen…

Appendix E

Verbs

Present tense (indicative)

Regular present tense

hablar	hablo	hablamos
(to speak)	hablas	habláis
	habla	hablan
comer	como	comemos
(to eat)	comes	coméis
	come	comen
escribir	escribo	escribimos
(to write)	escribes	escribís
	escribe	escriben

Present tense of reflexive verbs (indicative)

lavarse	me lavo	nos lavamos
(to wash oneself)	te lavas	os laváis
	se lava	se lavan

Present tense of stem-chaging verbs (indicative)

Stem-changing verbs are identified in this book by the presence of vowels in parentheses after the infinitive. If these verbs end in *-ar* or *-er*, they have only one change. If they end in *-ir*, they have two changes. The stem change of *-ar* and *-er* verbs and the first stem change of *-ir* verbs occur in all forms of the present tense, except *nosotros* and *vosotros*.

cerrar (ie)		cierro	cerramos
(to close)	e → ie	cierras	cerráis
		cierra	cierran

Verbs like **cerrar**: apretar *(to tighten)*, atravesar *(to cross)*, calentar *(to heat)*, comenzar *(to begin)*, despertar *(to wake up)*, despertarse *(to awaken)*, empezar *(to begin)*, encerrar *(to lock up)*, negar *(to deny)*, nevar *(to snow)*, pensar *(to think)*, quebrar *(to break)*, recomendar *(to recommend)*, regar *(to water)*, sentarse *(to sit down)*, temblar *(to tremble)*, tropezar *(to trip)*

contar (ue)		cuento	contamos
(to tell)	o → ue	cuentas	contáis
		cuenta	cuentan

Verbs like **contar**: acordar *(to agree)*, acordarse *(to remember)*, acostar *(to put to bed)*, acostarse *(to lie down)*, almorzar *(to have lunch)*, colgar *(to hang)*, costar *(to cost)*, demostrar *(to demonstrate)*, encontrar *(to find, to meet someone)*, mostrar *(to show)*, probar *(to taste, to try)*, recordar *(to remember)*, rogar *(to beg)*, soltar *(to loosen)*, sonar *(to ring, to sound)*, soñar *(to dream)*, volar *(to fly)*, volcar *(to spill, to turn upside down)*

jugar (ue)		juego	jugamos
(to play)	u → ue	juegas	jugáis
		juega	juegan
perder (ie)		pierdo	perdemos
(to lose)	e → ie	pierdes	perdéis
		pierde	pierden

Verbs like **perder**: defender *(to defend)*, descender *(to descend, to go down)*, encender *(to light, to turn on)*, entender *(to understand)*, extender *(to extend)*, tender *(to spread out)*

volver (ue)		vuelvo	volvemos
(to return)	o → ue	vuelves	volvéis
		vuelve	vuelven

Verbs like **volver**: devolver *(to return something)*, doler *(to hurt)*, llover *(to rain)*, morder *(to bite)*, mover *(to move)*, resolver *(to resolve)*, soler *(to be in the habit of)*, torcer *(to twist)*

pedir (i, i)		pido	pedimos
(to ask for)	e → i	pides	pedís
		pide	piden

Verbs like **pedir**: conseguir (*to obtain, to attain, to get*), despedirse (*to say good-bye*), elegir (*to choose, to elect*), medir (*to measure*), perseguir (*to pursue*), repetir (*to repeat*), seguir (*to follow, to continue*), vestirse (*to get dressed*)

sentir (ie, i)		siento	sentimos
(to feel)	e → ie	sientes	sentís
		siente	sienten

Verbs like **sentir**: advertir (*to warn*), arrepentirse (*to regret*), convertir (*to convert*), convertirse (*to become*), divertirse (*to have fun*), herir (*to wound*), invertir (*to invest*), mentir (*to lie*), preferir (*to prefer*), requerir (*to require*), sugerir (*to suggest*)

dormir (ue, u)		duermo	dormimos
(to sleep)	o → ue	duermes	dormís
		duerme	duermen

Present participle of regular verbs

The present participle of regular verbs is formed by replacing the -*ar* of the infinitive with -*ando* and the -*er* or -*ir* with -*iendo*.

Present participle of stem-changing verbs

Stem-changing verbs that end in -*ir* use the second stem change in the present participle.

dormir (ue, u)	durmiendo
seguir (i, i)	siguiendo
sentir (ie, i)	sintiendo

Progressive tenses

The present participle is used with the verbs *estar, continuar, seguir, andar* and some other motion verbs to produce the progressive tenses. They are reserved for recounting actions that are or were in progress at the time in question.

Regular command forms

	Affirmative		Negative
-ar verbs	habla	(tú)	no hables
	hablad	(vosotros)	no habléis
	hable Ud.	(Ud.)	no hable Ud.
	hablen Uds.	(Uds.)	no hablen Uds.
	hablemos	(nosotros)	no hablemos
-er verbs	come	(tú)	no comas
	comed	(vosotros)	no comáis
	coma Ud.	(Ud.)	no coma Ud.
	coman Uds.	(Uds.)	no coman Uds.
	comamos	(nosotros)	no comamos
-ir verbs	escribe	(tú)	no escribas
	escribid	(vosotros)	no escribáis
	escriba Ud.	(Ud.)	no escriba Ud.
	escriban Uds.	(Uds.)	no escriban Uds.
	escribamos	(nosotros)	no escribamos

Commands of stem-changing verbs (indicative)

The stem change also occurs in *tú, Ud.* and *Uds.* commands, and the second change of *-ir* stem-changing verbs occurs in the *nosotros* command and in the negative *vosotros* command, as well.

	Affirmative		Negative
cerrar *(to close)*	cierra	(tú)	no cierres
	cerrad	(vosotros)	no cerréis
	cierre Ud.	(Ud.)	no cierre Ud.
	cierren Uds.	(Uds.)	no cierren Uds.
	cerremos	(nosotros)	no cerremos
volver *(to return)*	vuelve	(tú)	no vuelvas
	volved	(vosotros)	no volváis
	vuelva Ud.	(Ud.)	no vuelva Ud.
	vuelvan Uds.	(Uds.)	no vuelvan Uds.
	volvamos	(nosotros)	no volvamos
dormir *(to sleep)*	duerme	(tú)	no duermas
	dormid	(vosotros)	no durmáis
	duerma Ud.	(Ud.)	no duerma Ud.
	duerman Uds.	(Uds.)	no duerman Uds.
	durmamos	(nosotros)	no durmamos

Preterite tense (indicative)

hablar *(to speak)*	hablé	hablamos
	hablaste	hablasteis
	habló	hablaron
comer *(to eat)*	comí	comimos
	comiste	comisteis
	comió	comieron
escribir *(to write)*	escribí	escribimos
	escribiste	escribisteis
	escribió	escribieron

Preterite tense of stem-changing verbs (indicative)

Stem-changing verbs that end in *-ar* and *-er* are regular in the preterite tense. That is, they do not require a spelling change, and they use the regular preterite endings.

pensar (ie)		volver (ue)	
pensé	pensamos	volví	volvimos
pensaste	pensasteis	volviste	volvisteis
pensó	pensaron	volvió	volvieron

Stem-changing verbs ending in *-ir* change their third-person forms in the preterite tense, but they still require the regular preterite endings.

sentir (ie, i)		dormirse (ue, u)	
sentí	sentimos	me dormí	nos dormimos
sentiste	sentisteis	te dormiste	os dormisteis
sintió	sintieron	se durmió	se durmieron

Imperfect tense (indicative)

hablar *(to speak)*	hablaba	hablábamos
	hablabas	hablabais
	hablaba	hablaban
comer *(to eat)*	comía	comíamos
	comías	comíais
	comía	comían
escribir *(to write)*	escribía	escribíamos
	escribías	escribíais
	escribía	escribían

Future tense (indicative)

hablar *(to speak)*	hablaré hablarás hablará	hablaremos hablaréis hablarán
comer *(to eat)*	comeré comerás comerá	comeremos comeréis comerán
escribir *(to write)*	escribiré escribirás escribirá	escribiremos escribiréis escribirán

Conditional tense (indicative)

hablar *(to speak)*	hablaría hablarías hablaría	hablaríamos hablaríais hablarían
comer *(to eat)*	comería comerías comería	comeríamos comeríais comerían
escribir *(to write)*	escribiría escribirías escribiría	escribiríamos escribiríais escribirían

Past participle

The past participle is formed by replacing the *-ar* of the infinitive with *-ado* and the *-er* or *-ir* with *-ido*.

hablar	hablado
comer	comido
vivir	vivido

Irregular past participles

abrir	abierto
cubrir	cubierto
decir	dicho
escribir	escrito
hacer	hecho
morir	muerto
poner	puesto
romper	roto
ver	visto
volver	vuelto

Present perfect tense (indicative)

The present perfect tense is formed by combining the present tense of *haber* and the past participle of a verb.

hablar *(to speak)*	he hablado	hemos hablado
	has hablado	habéis hablado
	ha hablado	han hablado
comer *(to eat)*	he comido	hemos comido
	has comido	habéis comido
	ha comido	han comido
vivir *(to live)*	he vivido	hemos vivido
	has vivido	habéis vivido
	ha vivido	han vivido

Past perfect tense (indicative)

hablar	había hablado	habíamos hablado
	habías hablado	habíais hablado
	había hablado	habían hablado

Preterite perfect tense (indicative)

hablar	hube hablado	hubimos hablado
	hubiste hablado	hubisteis hablado
	hubo hablado	hubieron hablado

Future perfect tense (indicative)

hablar	habré hablado	habremos hablado
	habrás hablado	habréis hablado
	habrá hablado	habrán hablado

Conditional perfect tense (indicative)

hablar	habría hablado	habríamos hablado
	habrías hablado	habríais hablado
	habría hablado	habrían hablado

Present tense (subjunctive)

hablar	hable	hablemos
	hables	habléis
	hable	hablen
comer	coma	comamos
	comas	comáis
	coma	coman
escribir (to write)	escriba	escribamos
	escribas	escribáis
	escriba	escriban

Imperfect tense (subjunctive)

hablar	hablara (hablase)	habláramos (hablásemos)
	hablaras (hablases)	hablarais (hablaseis)
	hablara (hablase)	hablaran (hablasen)
comer	comiera (comiese)	comiéramos (comiésemos)
	comieras (comieses)	comierais (comieseis)
	comiera (comiese)	comieran (comiesen)
escribir	escribiera (escribiese)	escribiéramos (escribiésemos)
	escribieras (escribieses)	escribierais (escribieseis)
	escribiera (escribiese)	escribieran (escribiesen)

Present perfect tense (subjunctive)

hablar	haya hablado	hayamos hablado
	hayas hablado	hayáis hablado
	haya hablado	hayan hablado

Past perfect tense (subjunctive)

hablar	hubiera (hubiese) hablado	hubiéramos (hubiésemos) hablado
	hubieras (hubieses) hablado	hubierais (hubieseis) hablado
	hubiera (hubiese) hablado	hubieran (hubiesen) hablado

Appendix F

Syllabification

Spanish vowels may be weak or strong. The vowels *a*, *e* and *o* are strong, whereas *i* (and sometimes *y*) and *u* are weak. The combination of one weak and one strong vowel or of two weak vowels produces a diphthong, two vowels pronounced as one.

A word in Spanish has as many syllables as it has vowels or diphthongs.

    al gu nas   lue go   pa la bra

A single consonant (including *ch*, *ll*, *rr*) between two vowels accompanies the second vowel and begins a syllable.

    a mi ga   fa vo ri to   mu cho

Two consonants are divided, the first going with the previous vowel and the second going with the following vowel.

    an tes   quin ce   ter mi nar

A consonant plus *l* or *r* is inseparable except for *rl*, *sl* and *sr*.

    ma dre   pa la bra   com ple tar   Car los   is la

If three consonants occur together, the last, or any inseparable combination, accompanies the following vowel to begin another syllable.

    es cri bir   som bre ro   trans por te

Prefixes should remain intact.

    re es cri bir

Appendix G

Accentuation

Words that end in *a, e, i, o, u, n* or *s* are pronounced with the major stress on the next-to-the-last syllable. No accent mark is needed to show this emphasis.

    octubre   refresco   señora

Words that end in any consonant except *n* or *s* are pronounced with the major stress on the last syllable. No accent mark is needed to show this emphasis.

    escribir   papel   reloj

Words that are not pronounced according to the above two rules must have a written accent mark.

    lógico   canción   después   lápiz

An accent mark may be necessary to distinguish identical words with different meanings.

    dé/de   qué/que   sí/si   sólo/solo

An accent mark is often used to divide a diphthong into two separate syllables.

    día   frío   Raúl

Source Acknowledgements

Unit 4: Reading Comprehension

1. "Armonía" *El Nuevo Día* (Puerto Rico), February 26, 2006, www.endi.com.
2. "El Ferrocarril del cielo" by Guillermo Santiago, from *añil revista boricua* © 1999 Plaza Boricua.
3. "El tiempo borra" by Javier de Viana, from *Macachines* © 1913 O.M. Bertani, Montevideo, Uruguay.
4. "El Décimo" by Emilia Pardo Bazán from Arco Iris of Obras Completas VIII.
5. "No oyes ladrar los perros" by Juan Rulfo, from *El llano en llamas* © 1953 Juan Rulfo.
6. "La Siesta de los Martes" by Gabriel García Márquez, from *Los Funerales de la Mamá Grande* © 1962 Gabriel García Márquez.
7. "Espuma y nada más" by Hernando Téllez.
8. "Emma Zunz" by Jorge Luis Borges, from *El Aleph* © Alianza Editorial.
9. "Palencia Plano-Guía" © 2006 Junta de Castilla y León.
10. "Juanes: Música y alma" by Daniel Martinez, from *BBC Mundo*, October 20, 2006, www.BBCMundo.com © BBC World Service.
11. "De la segunda salida de don Quijote" by Miguel de Cervantes Saavedra, from the Easy Reader *Don Quijote de la Mancha* (Primera parte), © EMC Publishing.
12. "La vida a los pies del Vesubio" by José María Espinas, *El Periódico de Catalunya*, April 8, 2006, www.elperiodico.com
13. "Los desastres ecológicos provocados por el hombre han causado la destrucción de las civilizaciones" (interview with Jared Diamond) by Carlos Fresneda, *El Mundo*, April 8, 2006, www.elmundo.es.
14. "La búsqueda de la libertad: El hecho de olvidar el compromiso con quienes nos rodean es vivir en la esclavitud" by Fr. Víctor Ml. Mora Mesén, *Nación* (San José, Costa Rica), June 5, 2006, www.nacion.com.

Unit 5: Paragraph Completion with Root Words

1. "La gran autopista" © EL PAÍS, S. L. (España), April 26, 2006, www.elpais.com.
2. "Confesions de un condenado" by Pedrag Matvejevic, © EL PAÍS, S. L. (España), April 26, 2006, www.elpais.com.
3. "El mundo del toro despide a Manolo Camará, un apoderado de abolengo" ABC Córdoba, *ABC Periódico Electrónico*, April 29, 2006, www.abc.es.
4. "El Nilo" *Agencia EFE* (Londres), from *ABC Periódico Electrónico*, April 11, 2006, www.abc.es.
5. "Meter la cuchara" by María Cordette Arzú C., *La Hora* (Guatemala), April 29, 2006, www.lahora.com.gt.
6. "El fugitivo" by Tomás Eloy Martínez, found in *La Nación* (Argentina), April 15, 2006, www.lanacion.com.ar.

7. "Estimado/a suscriptor/a" by Richard Pérez-Feria, *People en Español* © 2006 Time Inc.

8. "A tiempo copa" by Marcos Pérez, *El Nuevo Día* (Puerto Rico), www.endi.com.

9. "Hotusa abre en la zona alta de Barcelona su sexto hotel de la ciudad, el cuatro estrellas Eurostars Anglí" *Europa Press*, October 5, 2006, www.europapress.com.

10. "La versatilidad de la yuca" by Giovanna Hyuke, *El Nuevo Día* (Puerto Rico), www.endi.com.

11. "La papaya y sus beneficios" *El Nuevo Día, Inc.* (Puerto Rico), November 5, 2003, www.endi.com.

12. "Vivir para contarla" *American Airlines Nexos*, July/September 2003.

13. "¿Sabía usted...?" *American Airlines Nexos*, July/September 2003.

14. "¡Chévere!" *American Airlines Nexos*, October/December 2003.

Unit 6: Paragraph Completion without Root Words

1. "El gobierno aprobará una subida del 42% de la aportación al Fondo Global contra el Sida" *Europa Press*, April 27, 2006, found in *El Mundo*, www.elmundo.es.

2. "Los países del Sur necesitan 15 millones de docentes para lograr una educación universal" by Marta Arroyo, *El Mundo*, April 26, 2006, www.elmundo.es.

3. "Código de ética" *La Crónica de Hoy*, www.cronica.com.mx.

4. "Temporada de subastas" *Nueva York* (AFP), April 29, 2006, found in *La Hora* (Guatemala), www.lahora.com.gt.

5. "Don Alberto Blanco Barrera" by Alfonso Cano Isaza, *El Espectador* (Colombia), April 30, 2006, www.elespectador.com.

6. "Tecnología permitirá comprar canciones desde el celular" *El Nuevo Día* (Puerto Rico), July 19, 2006, www.endi.com.

7. "A la caza de un Neruda inédito" by Marjorie Ross, *American Airlines Nexos*, July/September 2003.

8. "Juan Pablo Montoya: La gran promesa en fórmula uno" by Guillermo de la Corte, *American Airline Nexos*, July/September 2003.

9. "El instituto médico europeo de la obesidad hará análisis gratuitos a los menores para prevenir la enfermedad" *Europa Press*, July 7, 2006.

10. "Me quiero ir" by Maribel Jiménez, *American Airlines Nexos*, July/September 2003.

11. "Las posadas" *American Airline Nexos*, July/September 2003.

12. [top] "Todos quieren a Betty" *Los Ángeles (AFP)*, September 20, 2006, found in *Periódico Al Día* (Costa Rica), www.aldia.com.cr. [bottom] "Venezolana podría ser la primera astronauta latinoamericana" *El Nuevo Día* (Puerto Rico), June 27, 2006, www.endi.com.

13. "Selena es recordada con sellos postales" *El Vocero de Puerto Rico*, October 5, 2006, www.vocero.com.

14. [top] "Fiestas de Santiago el Mayor" *Ronda de Iberia Airlines*, 2000. [bottom] "Llévese el mejor recuerdo de España" *Ronda de Iberia Airlines*, 2000.

Unit 8: Formal Writing

1. [Fuente 1] "Trayecto de un patriota: el 11 de septiembre y la libertad en Estados Unidos" by Roger Rosenblatt, from *Periódico electrónico del Departamento de Estado de EE.UU.*, September 2002. [Fuente 2] "11 de marzo: masacre en Madrid" *Agencia EFE*, from *Univisión*, March 11, 2005, www.univision.com.

2. [Fuente 1] "Suministrar agua - a cierto precio" *Decenio internacional para la acción; El agua, fuente de vida 2005-2015* © 2006 Naciones Unidas, www.un.org. [Fuente 2] "¿El agua es un derecho o un negocio?" by Leonardo Boff, *Tierramérica*, 2006, www.tierramerica.net.

3. [Fuente 1] "Niños con obesidad" *Revista Cromos*, March 17, 2005, www.cromos.com.co. [Fuente 2] "Los expertos relacionan la obesidad infantil más con la falta de ejercicio que con los problemas en las conducta alimentaria" *Europa Press*, July 3, 2006.

4. [Fuente 1] "Contaminación de la atmósfera" by Luis Echarri, *Ciencias de la Tierra y del Medio Ambiente*, www.tecnun.es/Asignaturas/Ecologia/Hipertexto/00General/IndiceGral.html. [Fuente 2] "Aire Sucio: Efectos de la contaminación del aire sobre la salud" *South Coast AQMD*, www.aqmd.gov.

5. [Fuente 1] "Esclavos del siglo XXI" *Revista Fusión*, February 2004, www.revistafusion.com. [Fuente 2] "Esclavitud: 'Hay que generar consciencia'" from *BBC Mundo*, May 16, 2006, www.BBCMundo.com © BBC World Service.

6. [Fuente 1] "Aumenta el maltrato y abandono de animales" *El Nuevo Día* (Puerto Rico), July 2003, www.endi.com. [Fuente 2] "Cadenas de radio censuran cuñas publicitarias antitaurinas" *Ecologistas en Acción*, July 10, 2006, www.ecologistaenaccion.org.

7. [Fuente 1] "Greenpeace denuncia que el mercado español tiene una gran responsabilidad en los últimos datos de la destrucción de la Amazonia" *Greenpeace España*, edited by Federico Ferrero, May 19, 2005, from *Andinia*, www.andinia.com. [Fuente 2] "La desforestación amenaza la selva de Indonesia" *Terra.org*, February 25 - March 3, 2002, www.terra.org.

8. [Fuente 1] "Periodismo digital" by María José López Pourailly, *REUNA*, April 2002, www.reuna.cl. [Fuente 2] "Periodismo digital y discurso científico: nuevos modelos para el siglo XXI" by María Heidi Trujillo Fernández and Fernando Ramón Contreras, *Razón y Palabra*, June/July 2002, Número 27, www.razonypalabra.org.mx.

9. [Fuente 1] "Niños hacen 'maromas' para vivr" *EL PAÍS* (Colombia), March 29, 2006, www.elpaison-line.com.co/paisonline. [Fuente 2] "Millones de niños mexicanos trabajan" by Luz Adriana Santacruz Carrillo, *Univisión*, July 22, 2004, www.univision.com.

10. [Fuente 1] "El idioma une a las hispanas en el Miss Universo" *Agencia EFE*, July 20, 2006, from *El Tiempo*, www.eltiempo.com.ve. [Fuente 2] "Unidas por un solo idioma, las latinas de Miss Universo 2006" by Roxana Nararro, *Univisión*, 2006, www.univision.com.

11. [Fuente 1] "Los países pobres deben invertir en ciencia y tecnología" *UN Millennium Project*, January 2006, www.unmillenniumproject.org. [Fuente 2] "Tecnología contra la pobreza" *BBC Mundo*, July 10, 2001, www.BBCMundo.com © BBC World Service.

12. [Fuente 1] "América Latina concluye que la idea de seguridad es clave para promover el turismo en la región" *Agencia EFE*, June 4, 2006, from © EL PAÍS, S. L. (España), www.elpais.com. [Fuente 2] "Inseguridad y crisis económica crean nuevas tendencias" *Agencia EFE*, November 23, 2004, from *Rel-UITA*, www.rel-uita.org.

13. [Fuente 1] "Las remesas de divisas hacia Latinoamérica alcanzaron 45.000 millones en 2004" *Americaeconomica.com*, March 23, 2005, www.americaeconomica.com. [Fuente 2] "Latinoamérica, a flote por las remesas" by Luis Tarrá, *Agencia EFE*, December 5, 2005, from *Univisión*, www.univision.com.

14. [Fuente 1] "Latinos que conquistaron las estrellas" by Pedro F. Fresneda, *Tiempos del Mundo*, July 25-27, 2005, www.tdm.com. [Fuente 2] "Hispanas en NASA, una historia de éxitos" by José Velázquez, *El Diario La Prensa*, July 2006, www.eldiariony.com.

Unit 10: Formal Speaking

1. "El empleo en una economía globalizada" from *Elegir el Futuro*, produced by *Comisión Independiente sobre la Población y la Calidad de Vida de la UNESCO* © 1999 IEPALA (Instituto de Estudios Políticos para América Latina y África).

2. "Desconectado: la paz de los aviones" by Jorge Ramos Ávalos.

3. "Los españoles, ecologistas 'de boquilla'" *Agencia SERVIMEDIA*, July 26, 2006, from *El Mundo* (España), www.elmundo.es.

4. "Salsa: Historia de la Salsa" by J. Alberto Mariñas, from *Estro.es*, www.esto.es.

5. "¿Es el spanglish un idioma?" by Roberto González Echevarría, *The New York Times*, Op-Ed, March 28, 1997.

6. "El reto de una vejez saludable" by Andreu Segura, © EL PAÍS, S. L. (España), January 24, 2006, www.elpais.com.

7. "Presentación" *Fundación Arias para la paz y el progreso humano*, July 24, 2006, www.arias.or.cr.

8. "Piratas informáticos a todo vapor" by Ramón J. Goñi Santalla, *BBC Mundo*, August 5, 2006, from *La Nación*, www.lanacion.com.ar.

9. "Tres mil de las 6.000 lenguas del mundo, en peligro" by Cesar Piernavieja, *El Mundo* (España), March 4, 2002, http://aula.elmundo.es.

10. "Violencia en el fútbol" by Magdalena Lago, *Chicos.net*, http://chicos.net.ar.

11. "Periodismo con riesgo de muerte" *Centro para la apertura y el desarrollo de América Latina*, August 3, 2006, www.cadal.org.

12. "Reggaeton" by Ernest Reitich, *Yahoo! Música en español*, http://espanol.music.yahoo.com.

13. "Qué es el lunfardo" by Nora López, *Lunfa2000*, http://ar.geocities.com/lunfa2000.

14. "Día de Muertos" *Wikipedia*, www.wikipedia.org.

Complete Practice Exam 1

4. "Generemos bienestar, no riqueza" by Carmen Sotomayor R., *El Nuevo Diario* (Managua, Nicaragua), June 5, 2006, www.elnuevodiario.com.ni.

5. "Recuerdan a Carrillo" *American Airlines Nexos*, July/September 2003.

6. "Justo a tiempo" *El Espectador* (Colombia), May 5, 2005, www.elespectador.com.

8. [Fuente 1] "Se inicia campaña contra cirugía plástica bamba a la que suman artistas" *Grupo RPP, S.A.*, June 7, 2006, www.rpp.com.pe. [Fuente 2] "Mientras más feo…más feo nomás" by Mariusa Reyes, *BBC Mundo*, May 16, 2005, www.BBCMundo.com © BBC World Service.

10. "La Violencia de los Medios de Comunicación Impacta en niños y familias" by Mandy Gross, *Agricultural Communication Services – Oklahoma State University*, March 31, 2006, http://agcomm.okstate.edu.

Complete Practice Exam 2

4. "El Día Mundial del Medio Ambiente" *El Telégrafo* (Guayaquil, Ecuador), June 12, 2006, www.eltelegrafo.com.ec.

5. "Bicicletas plegables" *American Airlines Nexos*, July/September 2003.

6. "El retrato de Dora Maar marca el segundo mejor precio pagado en subasta por una obra de Pablo Picasso" *Agencia EFE*, May 5, 2006.

8. [Fuente 1] "Hoy por hoy" *La Prensa* (Panamá), September 22, 2005, www.prensa.com. [Fuente 2] "Salario mínimo: Enemigo de los pobres" by Jacob G. Hornberger, *The Future of Freedom Foundation*, January 1999, www.fff.org.

10. "El cuentacuentos" *Cardona Gamio Ediciones*, 2002, www.ccgediciones.com.